PADRE ALBERTO LINERO

poder
DE LAS
decisiones

TU SIGUIENTE DECISIÓN PUEDE CAMBIARLO TODO

Diseño de cubierta: Departamento de Diseño Grupo Planeta
Imagen de cubierta: © shutterstock

© Alberto Linero Gómez, Eudista, 2014
© Editorial Planeta Colombiana S. A., 2014
    Calle 73 n.º 7-60, Bogotá, D. C.

Primera edición: abril de 2014

ISBN 13: 978-958-42-3867-2
ISBN 10: 958-42-3867-1

Impreso por: Nomos impresores

A Carlos A. y Rosina,
que me enseñaron a decidir libremente.
A Álvaro, Yose, Eri, Álex y Belia,
con los que gocé y lloré mis primeras decisiones.

Contenido

Introducción

En mi servicio pastoral como presbítero de la Iglesia católica debo acompañar espiritualmente a muchas personas en el desarrollo de su proyecto de vida. Es una experiencia sublime y trascendental. Me siento feliz de poder prestar ese servicio. Son muchos los momentos en los que me cuestiono que mis hermanos me den esta posibilidad de acompañarlos a ellos en sus alegrías, tristezas, conquistas, derrotas, uniones, separaciones. Son momentos en los que le doy gracias a Dios porque siendo yo tan pecador, tan imperfecto, tan como ellos, puedo, por gracia de Dios y por regalo de la gente, entrar en su vida con una palabra y una reflexión siempre nacidas de la experiencia compartida con el Señor. Siempre me siento pequeño al prestar este servicio y entiendo que es un regalo que no merezco.

Pero en este acompañamiento me he dado cuenta de que muchas personas no se sienten dueñas de su vida, no han captado el poder que tienen al decidir, la libertad inalienable que Dios les ha dado. Muchos buscan que se les diga qué tienen que hacer, permiten que un "intruso" entre hasta las dimensiones más íntimas y privadas que tienen y que solo les pertenece a ellos. Algunos ingenuamente permiten que otros decidan por ellos y los lleven a situaciones muy difíciles y dolorosas que se hubieran podido evitar.

Creo que todos somos dueños de la vida y que somos acompañantes espirituales que no deciden por nadie, pero que sí presentan la manera de ser y de actuar de Jesús, el Señor.

Esa es la razón por la que escribo esta reflexión. Quiero compartir con ustedes la certeza que tengo de que cada uno tiene que realizar su vida, apropiarse de su proyecto y definir qué es lo que quiere para sí mismo. Creo que tenemos que trabajar todos en función del aprender a decidir, a tomar las mejores decisiones y a ser capaces de enfrentar las consecuencias que de ellas se generan.

Es una reflexión personal. Pienso en voz alta y comparto con ustedes mis propias conclusiones existenciales. Me apoyo fundamentalmente en mi seguimiento de Jesucristo, en mi relación íntima con Él, en la que trato de identificarme con Él, sabiendo lo imperfecto que soy y lo lejos que estoy de eso. Es una reflexión que hago desde mi relación espiritual, pero que no tiene una intención proselitista ni religiosa, por eso también hay muchos elementos de la psicología y la antropología, ciencias sobre las que leo mucho.

No busquen en este texto un desarrollo dogmático, ni un vademécum espiritual, ni una declaración de fe; busquen aquí la reflexión de un creyente en Jesús de Nazaret que quiere compartir con ustedes las conclusiones a las que ha ido llegando a lo largo de su vida. Estoy seguro de la necesidad de aprender a decidir y de captar todo el poder que tienen las decisiones que tomamos. Y eso es lo que quiero compartir con ustedes.

Agradezco a todos los que forman parte de mi equipo de trabajo y son mis hermanos-amigos con los que construyo la vida. En especial a Hollman Javier Varela Altahona, que siempre tiene tiempo para reírse conmigo de la vida, que en medio de sus actividades tiene un tiempo para escucharme, para leerme y para sugerirme siempre sus propias conclusiones, mucho de él también hay en este texto. También agradezco a Jader Igirio Tesillo, un hermano-amigo eudista, con el que comparto no solo el ideal de santidad de Juan Eudes, sino muchos momentos de respuestas a nuestras preguntas más trascendentales.

A ustedes les agradezco el tiempo y el aprecio que me tienen. Estas son palabras que piden la amable comprensión, pero que están sujetas al debate y al compartir inteligente y respetuoso.

Gracias por darme la oportunidad de contarles lo que pienso de este tema.

Barranquilla, 20 de enero de 2014

Capítulo 1

Soy quien decide

La vida es un constante decidir. Nos invita siempre a tomar opciones, a escoger caminos para andar, a realizar acciones o a quedarnos quietos, es la misma vida una búsqueda constante del camino que recorremos.

De hecho podríamos entender la vida como la recopilación de las consecuencias de nuestras decisiones. Un sí o un no, ante la invitación de una propuesta, tiene el poder de hacer que nuestro mundo sea totalmente distinto. Decidir qué hago, entre el diluvio de emociones que llega en una situación límite: ¿converso con esa persona, que es parte del conflicto, o rechazo cualquier contacto con ella? La respuesta puede desencadenar un mundo de situaciones que nos producirán otros sentimientos de gozo y júbilo o de tristeza y dolor; pero fue mi decisión la que tiñó el futuro con el color que di al decidir.

Lo que hoy vivimos es consecuencia de las decisiones que hemos tomado en el pasado. No estamos aquí y ahora por casualidad. No hemos llegado a este punto de nuestra vida por cuestiones de azar. Nadie decidió por mí, aunque haya algunos que influyeran mucho o poco. También dejarme usar, ser manipulado, escuchar o rechazar la voz de otros es una decisión que nadie puede quitarme.

Estoy donde he decidido estar. El camino que he tomado lo he tomado porque he querido. Cada situación de mi vida me ha propuesto unas posibilidades, y yo he optado por las que he querido. Mal o bien, todas ellas me han traído aquí. Este mundo personal en el que estamos lo hemos forjado a través de nuestras decisiones[1].

Mi situación no es fruto de coincidencias, de gestiones del azar, de expresiones de la suerte o del cumplimiento de un prefigurado destino. Ni Júpiter en Venus, ni el tabaco o las cartas, ni el menjurje esotérico, ni los baños con miles de hojas, brebajes, rezos, trances, aromas, muebles, cadenas, agüeros, cábalas pueden soslayar algo que me es propio, que me pertenece, que es mi capacidad de decidir qué hacer con la vida que me fue dada. Y mi aquí y mi ahora son, irrefutablemente, lo que he construido. Mi historia, la tuya, la nuestra son lo que hemos fabricado con las decisiones, oportunas o no, que hemos tomado a lo largo de nuestra vida. Comprender todo el poder que tienen nuestras decisiones debe llevarme a ser responsable de mí y del mundo que voy creando.

No es solo lo que me pasa, es lo que hago con ello. No son las oportunidades que la vida me pone enfrente, sino si las aprovecho o las despilfarro. No me quedo por quedarme,

---

1   Max Neef lo presenta de esta manera: La vida es una interminable secuencia de bifurcaciones: la decisión que tomo implica todas las decisiones que no tomé, la ruta que escojo es parte de todas las rutas que no escogí. Nuestra vida es inevitablemente una permanente opción, una infinidad de posibilidades ontológicas. El hecho —y la mayoría de ustedes lo habrá vivido— de que estuve en un lugar determinado, en un momento muy preciso, cuando una determinada situación aconteció o una determinada persona apareció, pudo haber tenido un efecto decisivo para el resto de mi vida; unos minutos más temprano o más tarde, o algunos metros más allá o más acá podrían haber determinado otra bifurcación y, en consecuencia, otra vida mía completamente distinta. *Revista Palimpsesto*, Universidad Nacional, Bogotá, n.° 5, abril de 2006, pp. 93-98.

ni fue que me tocó, no soy el más de malas, ni el más de buenas, soy una persona que toma decisiones. La pobreza o la riqueza en las que pude haber crecido pueden condicionarme, pero no son las únicas variables de mi éxito o mi fracaso en el proyecto de vida que he emprendido. Soy yo, lo que me rodea y lo que decido hacer con todo.

Algunas veces reflexiono en torno al momento en el que tomé la decisión de entrar al seminario en busca de iniciar el proceso hacia el presbiterado, y me doy cuenta de que ese momento puntual en el que le respondí que sí al promotor vocacional, que inquiría una respuesta sobre mi vocación, hizo que todo para mí fuese totalmente distinto.

Aquel sí creó, posibilitó, abrió la puerta a las otras decisiones que fueron formando el mundo en el que he vivido estos últimos veintiocho años de mi vida. Ese sí ocasionó, de alguna manera, este paisaje existencial en el que me muevo y existo porque quise. Nadie me ha obligado a vivir dentro de estas limitaciones y todas las posibilidades que tengo en este momento. Un instante, una decisión, un sí y la vida es otra.

Por un momento fantaseo con haber contestado que no a esa pregunta del padre Rosas, promotor vocacional de la diócesis de Santa Marta en 1985, y entonces comienzan a desaparecer, casi que mágicamente, todas las cosas que me rodean y hasta las personas más importantes de mi vida hoy. Las interacciones que he tenido, la vida compartida, las tristezas y las alegrías de tantas luchas al lado de gente que solo conocí porque dije sí se esfuman. A partir de una historia que no fue comienzan a no existir, porque seguro no habrían cabido en el otro camino. Incluso yo mismo comienzo a ser diferente y a actuar de manera distinta; es otro mundo, otra vida. Y pensar que lo único que ha cambiado es una respuesta a una pregunta, una decisión, una palabra. Dije sí, y el mundo fue distinto.

Seguro también a ti te pasa lo mismo. Valdría la pena que pensaras en este momento si la respuesta hubiera sido otra, qué habría sido de tu vida. No te lo propongo como un ejercicio nostálgico que te haga estar triste por lo que no fue, sino como una toma de conciencia del poder y de la fuerza que tienen las decisiones.

No caigas en la tentación de construir la historia idealizada desde el "si yo hubiera", esa frase que desaparece mágicamente los problemas y crea mundos perfectos en los que uno tiene todo lo bueno sin nada de lo malo de la realidad misma. No se trata de fantasear con las riquezas que no adquirí, sino de sopesar las pérdidas que tendría hoy "si yo hubiera".

Tu vida es la mezcla de todo lo bueno y todo lo malo que tienen las realidades y las personas que escogiste. Quizá podrías tener más o quizá menos, pero en realidad tienes lo que tienes y eso carga un valor profundamente importante que quiero que aprendas a descubrir. Incluso los fracasos, los pesares, los dolores y las amarguras del camino que recorriste, o que recorres, tendrán para ti un valor tan profundo que verás, a los ojos de un reconocimiento sereno y sabio, quién eres y por dónde ha pasado tu vida real.

Descubrir desde la gratuidad y conectarte con tu vida real te salvará, porque hará que comprendas que estás donde quieres y saldrás o no de ahí si así lo decides. Esta es tu vida, tu historia, tus decisiones, eres tú mismo. Ten claro que al pensar un poco sobre lo valiosas y oportunas que son cada cosa, cada persona y cada situación en función de la importancia que tienen en tu vida, dejarás de quejarte y de sentir el frustrante deseo de vivir la vida que no vives.

Ten claro, ubica, descubre cómo al tomar esta o aquella decisión tienes la posibilidad de crear mundos y vidas bien diferentes. Reconocer el valor y la trascendencia de cada opción que eliges en la vida es una manera de comenzar a estar mejor preparado para todas las decisiones que tienes que seguir tomando y que no puedes soslayar. Ser consciente del poder que tienen las decisiones te prepara mejor para saberlas tomar.

Las decisiones no se pueden separar de las consecuencias que traen. Aunque en alguna fantasía nuestra lo deseemos, en la realidad esto no sucede. Todo tiene un después. Toda decisión tiene una consecuencia. Es una ley de nuestra condición antropológica, hay acción-reacción.

Nadie puede evadir las consecuencias, entre otras cosas porque los primeros impactados por los efectos de nuestras decisiones somos nosotros mismos. Claro que no solo nos afectan a nosotros; también a aquellos que son miembros de nuestro círculo vital. Por eso se relacionan tan estrechamente libertad y responsabilidad. Hay decisiones que nadie puede tomar por mí, pero también estas ocasionan consecuencias que no puedo evadir y frente a las cuales nadie me puede reemplazar.

En más de una situación he visto gente queriendo cargar sobre sus hombros las consecuencias de decisiones ajenas; más de una madre queriendo pagar por sus hijos, más de un esposo llevándose las culpas que no le pertenecen, pero a pesar de su esfuerzo, los otros no se escapan de pagar el precio de sus decisiones. Como diría un amigo, la vida es como un restaurante del que nadie puede irse sin pagar la cuenta.

Esa es la vida: estar siempre ante la bifurcación que el camino trae y tener que escoger entre uno y otro... y, renglón seguido, asumir las consecuencias. No podemos negarnos a esta realidad, es necesario decidir; necesario también recoger lo sembrado con la decisión. No decidir es ya una decisión. Se nos impone la necesidad de decidir y tenemos que aprender a vivir con ella.

De las pocas cosas que no se nos permitió decidir es si queríamos o no la posibilidad de decidir. Sé que más de uno hubiera querido el camino fácil de la obediencia extrema de una voluntad exterior, de solo cumplir las órdenes que se nos hubieran dado desde nuestra gestación y así evitar el fatídico punto de la decisión. Fantasía, al fin y al cabo, porque ser pelele de otra voluntad es ya una decisión.

Es una realidad que nos sobrepasa. Nosotros no podemos decidir no decidir. Siempre estamos exigidos por la necesidad de la decisión. A veces me sueño como un robot, programado y con un libreto por cumplir, al que no se le da la oportunidad de decidir qué hacer, sino que a base de descargas electromagnéticas sabe qué tiene que hacer... y, claro, faltan los momentos de tensión previos a una decisión, los instantes de ansiedad que da el saber cuál es la mejor decisión que hay que tomar, sin cometer errores, pero también en esos momentos la vida se torna menos interesante, con un sinsentido, desabrida y, de alguna manera, mucho menos feliz. Es como si la felicidad estuviera intrínsecamente ligada a esa capacidad humana de decidir qué hacer con la vida. Sí, en la capacidad de decidir está la felicidad.

Ahora me pregunto: ¿por qué si es tan importante decidir, la mayoría de veces lo hacemos sin tener en cuenta su importancia? ¿Sabemos decidir bien? ¿Qué caracteriza una buena decisión? ¿Somos libres para decidir? ¿Estamos condenados a decidir de una manera concreta? ¿Las circunstancias nos predeterminan a vivir de una u otra manera?

Eso es lo que quiero tratar en este libro. Presentarles mis reflexiones personales y las que he compartido como fruto de mis búsquedas e investigaciones con respecto al hecho y la realidad de la decisión humana. Con ello busco propiciar, provocar en ustedes una reflexión que los ayude a tomar conciencia de todo el poder que hay en la capacidad de decisión y a decidir de la mejor manera sobre esos temas, esas realidades que cada uno vive y que son fundamentales para la vida.

No pretendo decirles cómo tienen que decidir, ni mucho menos qué "deben" decidir. Sé que cada uno tiene que tomar sus propias decisiones y vivir sus consecuencias, pero sí puedo pensar en voz alta, desde estas páginas, y propiciar preguntas, reacciones, reflexiones y conclusiones muy de ustedes. Servir de excusa para que cada uno piense en las propias decisiones, para que las comprenda, para que sepa sus implicaciones, para que prepare las futuras, para que refuerce las presentes, para que asuma las consecuencias que deba, para que tenga claro que siempre, mientras viva, tendrá que decidir... y ojalá, de la mejor manera.

Capítulo 2
Dios me quiere libre

Es tan importante y fundamental para la vida la toma de decisiones que en la teología cristiana Dios nos crea libres y respeta esa libertad. Su relación con nosotros es una relación entre seres libres, no entre uno que quiere esclavizar a otro.

La libertad es un invento de Dios, no es un mérito humano. Podría habernos creado sin la facultad de elegir. Si quisiera, habría creado una especie de videojuego en el que uno ve que hay unos muñequitos que siempre hacen lo mismo, repiten patrones de conducta, no eligen, sino que simplemente se mueven como están programados para hacerlo, sin importar cuántas veces se juegue ni cómo se haga.

Él nos hace una propuesta de vida que cada uno, desde su conciencia e inteligencia, tiene que decidir si la acepta o no. Esto es lo que nos deja claro la Biblia[2]: un proyecto de una manera concreta de vivir que queda en el centro de nuestras decisiones.

Él nos presenta una forma de relacionarnos con Él, con los hermanos, con el mundo y con nosotros mismos, pero nos deja libres, no nos obliga, permite que decidamos cómo

---

2   El Señor creó al hombre al principio y le entregó el poder de elegir... ante ti están puestos fuego y agua: elige lo que quieras (Eclesiástico 15,14.16). Cristo nos hizo libres para que gocemos de la libertad; manteneos, pues, firmes y no os dejéis sujetar al yugo de la servidumbre (Gálatas 5, 1). Donde está el Espíritu está la libertad (2 Corintios 3, 17).

relacionarnos asumiendo las consecuencias. Se convierte en propuesta. Dios es para nosotros una invitación abierta y constante. La casa del Padre está siempre abierta, es una finca enorme (Lucas 15, 17) en la que a todos se nos trata bien, por igual.

Pero uno puede irse, libremente, poner tierra de por medio, dilapidar los dones que Él nos da... Eso sí, luego comer lo que comen los cerdos por cuenta y riesgo propios. Sin embargo, la puerta de la casa siempre estará abierta. Aunque el Padre no vaya por nosotros a sacarnos de las orejas de donde nos metimos por voluntad propia, siempre estará ahí cuando lo lleguemos a necesitar y a querer en nuestra vida. Hará fiesta por nosotros.

Pero Dios no se nos impone ni nos obliga, sino que asumiendo nuestra condición de seres libres —Él nos ha creado como tales— nos propone vivir una relación de amor —solo se aman de verdad los seres libres que reconocen la libertad del otro—. Es tan importante decidir que ni siquiera Dios decide por nosotros.

Sé que algunas malas comprensiones de la relación entre Dios (Creador) y el hombre (criatura) han ocasionado una mirada determinista de la vida, que busca encontrar en Dios todo tipo de explicaciones a las distintas situaciones que pasan en la historia y terminan haciéndolo responsable de las catástrofes que nuestra forma egoísta de manejar los recursos naturales ha ocasionado.

Y, no nos digamos mentiras, Dios siempre resulta un buen pararrayos de nuestra irresponsabilidad en la toma de decisiones. Hace poco un joven me dijo que iba a presentar un examen de admisión en una universidad pública. Yo lo vi en una actitud de poco estudio y de algo más de desorden que de disciplina académica, pero su arrogancia era grande y me dijo que eso era pan comido. Semanas más tarde me lo volví a encontrar y frente a la pregunta de si había pasado bien, respondió que no, y que era voluntad de Dios y Él sabrá cómo hace sus cosas.

Se termina creyendo que Dios es el responsable de todo lo que nos pasa y que nosotros no somos más que seres que tenemos que vivir el libreto preestablecido por Él. Es como si fuéramos auténticos robots programados para vivir de tal o cual manera, con una mirada que sacraliza totalmente, que siempre necesitará de una mirada más secular[3] que sea capaz de entender el rol de Dios en la historia.

Lo que las páginas de la Biblia y el Magisterio de la Iglesia nos muestran es un hombre que actúa en libertad hasta oponerse incluso al plan que Dios le ofrece. La vida es nuestra responsabilidad, somos nosotros los que la hacemos a partir de las decisiones que vamos tomando.

Cada uno de nosotros asume qué hacer con su existencia cómo llevarla adelante. En este orden de ideas tenemos que

---

3   "Desde tres posiciones se ha entendido las relaciones de Dios con el mundo: la sacral, en esta se ve al mundo como títere de Dios; la secularista, que margina totalmente a Dios de la realidad humana; la secular, que es capaz de entender que Dios sostiene la existencia del mundo, pero este tiene sus propias leyes (Gaudium et Spes, n.° 36). Ahora, teniendo el cuidado de no irnos al extremo que nos puede dejar sin el sentido religioso: la secularización, que reivindica una legítima autonomía al quehacer terreno y puede contribuir a purificar las imágenes de Dios y de la religión, ha degenerado con frecuencia en la pérdida de valor de lo religioso o en un secularismo que da las espaldas a Dios y le niega la presencia en la vida pública". Documento de Puebla, n.° 82.

ser muy conscientes de que nuestro destino lo vamos forjando a través de nuestras decisiones. Insisto: no existe un libreto preestablecido que tengamos que seguir al pie de la letra. La vida no es un juego para Dios, en el que nos hizo marionetas para su complacencia, sino que es un don gratuito en el que recibimos la capacidad de construir, de hacer camino y de andar como mejor creamos.

Existen unas circunstancias, unas tendencias, unas influencias que tendremos que saber enfrentar y discernir para poder actuar lo más libremente posible. Ellas nos influyen, pero no nos determinan absolutamente. No puedes culpar a Dios de tu historia, Él no es responsable de lo que has decidido hacer con tu vida. Ser creyente no implica abdicar de tu poder de decidir, sino, al contrario, usarlo libremente teniendo en cuenta la propuesta que Dios te hace.

Muchas personas reaccionan rebeldemente ante Dios porque se lo han presentado como aquel que usurpa la voluntad humana, como aquel que establece un destino que tenemos que cumplir y punto, como el que nos exige, bajo pena de muerte, vivir a su manera y no nos da ninguna posibilidad de discernir y de entender el mundo. Se lo han presentado como el que impone muchos "no" en la vida, sin muchas razones, sin hacernos comprender por qué no y a la vez nos quita, con la denominación de pecado, todo lo que nos gusta.

Estoy seguro de que si estas personas conocen a Dios, el Padre de Nuestro Señor Jesucristo, revelado plenamente en su persona y que ha sostenido una historia de salvación con el hombre —historia de salvación que se encuentra en la Biblia— y lo descubren un ser libre y amoroso, como el padre que no se impone sino que se acerca con ternura (Oseas

11) y acompaña al hombre en su proceso de crecimiento y de realización, y que lo interpela con una palabra y manifestaciones de amor, dejándolo ser y siempre dispuesto a respetar la libertad humana, otra sería la reacción que estos hermanos tendrían.

Es más, si Dios fuera un titiritero que nos manejara con sus hilos como sus marionetas, te aseguro que también yo me rebelaría y pelearía con ese ser. El Dios que he experimentado en mi proceso de fe es amor, es libertad, es ayuda, es respeto. Nos quiere felices y nos deja decidir cómo hacerlo. Eso sí, nos hace en su Hijo, Jesucristo, una propuesta de vida que conduce a la plenitud.

Dios es tan respetuoso de la posibilidad humana de decidir que alguien le puede decir que no a su propuesta en la persona de Jesús. El Nuevo Testamento deja constancia de eso en el relato de Marcos 10, 17-27, que conocemos con el nombre de "El joven rico". En ella la propuesta de vida que hace Jesús es rechazada libremente por el joven:

Se ponía ya en camino cuando uno corrió a su encuentro y arrodillándose ante él, le preguntó: "Maestro bueno, ¿qué he de hacer para tener en herencia vida eterna?". Jesús le dijo: "¿Por qué me llamas bueno? Nadie es bueno sino solo Dios. Ya sabes los mandamientos: No mates, no cometas adulterio, no robes, no levantes falso testimonio, no seas injusto, honra a tu padre y a tu madre". Él, entonces, le dijo: «Maestro, todo eso lo he guardado desde mi juventud». Jesús, fijando en él su mirada, le amó y le dijo: "Una cosa te falta: anda, cuanto tienes véndelo y dáselo a los pobres y tendrás un tesoro en el cielo; luego, ven y sígueme". *Pero él, abatido por estas palabras, se marchó entristecido, porque tenía muchos bienes.*

La propuesta de vida está señalada por tres invitaciones: "Vende todo lo que tienes", "Compártelo con los pobres" y "Sígueme". Es una propuesta. No es una imposición. Él le propone que viva en libertad, desapegado de toda posesión, que sea capaz de tener las cosas y no dejarse tener por ellas, sabiendo que todo tiene sentido en el compartir, en la solidaridad y en el seguimiento de su persona, como modelo de esa propuesta de vida. Jesús acepta la capacidad humana de decidir, de poder decir sí o no. Así de importante es la capacidad humana de decidir.

Llama la atención y tiene mucho sentido teológico y humano la respuesta del joven: "Pero él, abatido por estas palabras, se marchó entristecido". El joven dice que no. No acepta la propuesta de vida que le hace Jesús. Se le puede decir que no incluso a Dios. Así de grande es el poder de una decisión. Este joven que anda buscando resolver algo muy profundo de su corazón, quiere una respuesta del orden del "hacer" y se encuentra con una respuesta del orden del "ser", que lo invita a establecer una relación personal con Jesús, dejar sus posibles riquezas y asumir a Jesús como su verdadero tesoro.

No está dispuesto a desprenderse de lo que en ese momento le da seguridad ni quiere compartir con otros lo que ha obtenido con el sudor de su frente. Quiere unas normas, unas leyes que le garanticen su felicidad —su vida eterna—, pero no está dispuesto a descubrirla en una relación de discipulado con Jesús. Responde que no. Rechaza la propuesta. Prefiere irse triste y despreciando la propuesta que le hacen de vivir de una manera diferente. No queda convencido de lo que le proponen, no quiere desprenderse de lo que es suyo y menos compartirlo con nadie. Se hace presente una de las características del decidir que es la renuncia (detrás de toda decisión hay siempre una o varias renuncias). No se puede tener todo a la vez. Hay momentos en los que uno debe escoger: o tiene esto o tiene aquello.

Él es libre y puede decir que no. Jesús no lo amenaza ni se le impone. Jesús respeta su decisión. No sale a buscarlo y a tratar de convencerlo de que acepte esta propuesta de vida que le ha hecho, sino que le respeta su no. Entiende que desde su libertad esa es la decisión que ha tomado.

Cuando reviso este texto pienso en tantas personas que suponen que no les podemos decir que no, en tantos seres que prefieren obligar, imponerse, someter, esclavizar al otro con tal de no escuchar una respuesta negativa. Es como si nos hubieran enseñado que el "no" no es una respuesta, como si nos invitaran a despreciar la libertad que tiene el otro de decidir qué quiere y qué no. Amar y aprender a convivir supone respetar las decisiones del otro, por muy duras y dolorosas que nos parezcan. Decisiones que ojalá estén orientadas desde los principios éticos para que así nadie atente de manera deliberada contra nadie.

Las relaciones humanas —incluso la relación con Dios— se construyen desde la vivencia de nuestra libertad. Somos libres y desde esta condición nos relacionamos con los demás. Nadie nos puede quitar esa posibilidad, así como no tenemos por qué permitir que otro nos obligue. Tenemos en nuestras manos la decisión y esa no nos la puede quitar nadie. En algunas predicaciones y ejercicios espirituales nos encontramos a personas que buscan hacer con los otros exactamente lo que ellos quieren y para esto proponen una serie de jaulas conductuales y de estructuras, las cuales garantizan que los otros tendrán unas acciones concretas, pero no garantizan que se tenga una relación íntima e intensa con el dueño de la vida, Jesús. Es más, creo que el joven rico está encarcelado en una de esas propuestas. Él estaba tan acostumbrado a creer desde el "hacer", que pone en dudas la capacidad humana de decidir si se quiere ser feliz, y por eso pregunta a Jesús, quien le hace una propuesta desde el "ser", desde el relacionarse, donde queda totalmente clara la necesidad de poder decidir.

Cuántas veces algunos seres humanos prefieren no tomar una decisión que los libere de ciertas relaciones, situaciones o consecuencias por miedo a perder lo que "tienen", por miedo a no saber qué les "traerá" el futuro o, más en concreto, por miedo a la soledad o a perder algunas comodidades. Es cuando vale la pena volver a pensar en que una decisión tiene el poder de generar mundos y vidas nuevas que se pueden disfrutar.

Por eso tendríamos que aprender a decidir y a entender bien qué es lo que hacemos cuando decimos sí o no ante una propuesta que la vida nos trae. Las decisiones más profundas de nuestro ser no pueden ser tomadas por otros, en eso somos irreemplazables. Por mucho que quieran intervenir los demás, hay decisiones que nos pertenecen solo a nosotros. La del joven rico es una de ellas: decirle sí o no a la propuesta de vida que le hace Jesús es una decisión que solo le compete a él y a nadie más. Lo mismo pasa contigo hoy: eres tú quien puede tomar algunas decisiones, nadie puede reemplazarte en esa función.

Contrasto este relato del joven que se niega con el de Zaqueo (Lucas 19, 1-10) que acepta la invitación que le hace Jesús de acogerlo en su casa y experimenta una transformación en su vida:

> Jesús llegó a Jericó y comenzó a cruzar la ciudad. Resulta que había allí un hombre llamado Zaqueo, jefe de los recaudadores de impuestos, que era muy rico. Estaba tratando de ver quién era Jesús, pero la multitud se lo impedía, pues era de baja estatura. Por eso se adelantó corriendo y se subió a un árbol para poder verlo, ya que Jesús iba a pasar por allí. Llegando al lugar, Jesús miró hacia arriba y le dijo: "Zaqueo, baja en seguida. Tengo que quedarme hoy en tu casa". *Así que se apresuró a bajar y, muy contento, recibió a Jesús en su casa.* Al ver esto, todos empezaron a murmurar: "Ha ido a hospedarse con un pecador". Pero Zaqueo dijo resueltamente: "Mira, Señor: ahora mismo voy a dar a los pobres la mitad de mis bienes, y si en algo he defraudado a alguien, le devolveré cuatro veces la cantidad que sea". "Hoy ha llegado la salvación a esta casa —le dijo Jesús—, ya que este también es hijo de Abraham. Porque el Hijo del hombre vino a buscar y a salvar lo que se había perdido".

También a Zaqueo se le hace una propuesta de vida, contenida en las palabras de Jesús ("Zaqueo, baja que hoy me voy a quedar en tu casa"), y este la acepta; decide decirle sí y lo acoge. Hace un libre ejercicio de su capacidad de decidir y baja de ese sicómoro para encontrarse con Jesús y recibirlo en su casa, eso le permite cambiar su manera de entender la vida y de relacionarse con los demás. El que ha sido descrito en el relato como alguien que tiene en el dinero el horizonte de su vida ahora ofrece compartir su riqueza con los demás. El que se pasó la vida reuniendo dinero, sin pensar a quién dañaba o no, ahora se propone resarcir a los que haya defraudado. Su respuesta le ha ocasionado un cambio total en su manera de vivir. Aceptar la propuesta que le hace Jesús le hace vivir una vida nueva.

También a Dios se le puede decir que sí. Y Zaqueo así lo hizo. Jesús no entra a la casa de Zaqueo sin su aprobación. Jesús le pide a este hombre que lo acoja en su casa como tal vez hoy te lo está pidiendo a ti. Y eres tú quien tiene el poder de decidir si lo aceptas o no.

Si con Dios, el que algunos tenemos como valor absoluto es así, imagínate cómo debe ser con cada una de las personas con las que compartimos la existencia. Tenemos que tomar conciencia de lo importante que es decidir, de cómo una decisión nos puede liberar o esclavizar, salvar o perder, impulsar o anclar para siempre.

No podemos abandonar en manos de otros nuestras decisiones y tenemos que comprender que está en nosotros hacer (decidir) que nuestra vida sea mejor. Sé que el sistema social en el que vivimos nos quiere cada vez más "dependientes", cada vez menos libres y totalmente dispuestos e influenciables ante el discurso publicitario que busca impulsar nuestras decisiones, pero también sé que la única manera de vivir plenamente, de realizarnos, de estar felices con lo que hacemos y somos es ejercer nuestra capacidad de decidir. Es tener conciencia de que esa es nuestra mayor posibilidad y que tenemos que defenderla de todos, incluso de nuestras mismas incapacidades y comodidades.

Estoy pensando en el concepto de ilustración que nos presenta Kant y que creo que tendrías que reflexionar de manera serena y minuciosa: "La ilustración es la salida del hombre de la minoría de edad. Él mismo es culpable de ella. La minoría de edad estriba en la incapacidad de servirse del propio entendimiento, sin la dirección de otro. Uno mismo es culpable de esta minoría de edad cuando la causa de ella no yace en un defecto del entendimiento, sino en la falta de decisión y ánimo para servirse con independencia de él, sin la conducción de otro. ¡*Sapere aude*! ¡Ten valor de servirte de tu propio entendimiento! He aquí la divisa de la ilustración".

Eso en nada choca con lo que Dios nos propone. Al contrario: es una manera de aceptar la invitación que Dios nos hace de realizarnos en medio de nuestra historia. Ser ilustrado, como aquel que es capaz de dar cuenta de sí mismo, es lo que Dios quiere y nos propone en la persona de Jesús. No nos quiere siguiendo un sistema religioso de manera acrítica y sin razones verdaderas para hacerlo, nos quiere capaces de construir nuestra propia historia de cara (sirviendo) a los hermanos y en una relación estrecha con el Padre en el Hijo y por la fuerza del Espíritu Santo.

Es el momento de emanciparse, de tomar las propias decisiones, de ser conscientes de su poder y asumirlas como una tarea que no podemos delegar. Para ello vuelve a tener presente que todo en la vida está marcado por la decisión. Somos quienes decidimos qué hacer, hacia dónde queremos llevar nuestra existencia, qué queremos que la caracterice, cómo queremos vivir.

Por eso te invito a reflexionar en torno a la capacidad de decidir y a tratar de encontrar caminos para que tu opción sea adecuada, equilibrada y abra los caminos de felicidad que quieres recorrer. Una buena decisión siempre permite una buena vida. No hay magia, sino capacidad de decidir; no hay poderes extraños, sino mentes y corazones capaces de hacerlo.

Capítulo 3
Decisiones, ¿qué son?

Etimológicamente la palabra *decidir* nos hace pensar en cortar, separar, zanjar. Su composición nos remite a una separación selectiva. La decisión es el resultado de un proceso mental-cognitivo en el que después de comparar distintas posibilidades se escoge una.

Es un proceso en el que el hombre se esfuerza por entender la relación causa-efecto de cada una de las opciones propuestas para tratar de elegir una que cumpla con las condiciones que él considera necesarias para su proyecto de vida. Es una escogencia. Por eso la fuerza del origen etimológico: se "corta" una de las posibilidades para dejar otra.

No hay decisión si no hay ese proceso de comparación, de análisis, de comprensión sobre cuál de las opciones que se presentan es la más favorable en función de la realización de mi proyecto. El proceso exige el entendimiento y la comprensión mental, pero también dispone para una reacción afectiva-emocional.

Es decir, que podríamos afirmar mínimamente que la comprensión del proceso selectivo de la decisión implica las dimensiones humanas de la racionalidad (en cuanto a comprensión), la emotividad (en cuanto a las motivaciones) y la espiritualidad (en cuanto a la trascendencia de la misma elección). Un proceso nada simple, aunque muchas veces lo simplificamos en apariencia.

A este propósito es bueno precisar que "los seres humanos no somos seres racionales que actuamos movidos por la razón. Los seres humanos, igual que todos los animales, somos seres que nos movemos desde nuestras emociones, y lo que es peculiar es que usamos nuestro "razonar" para justificar o negar nuestro "emocionar"... Este determina en cada instante lo que podemos ver, admitir, escoger, o hacer y está determinado, a su vez, por el cúmulo de experiencias en las diferentes etapas de la vida hasta el día de hoy"[4].

En este sentido, para comprender mejor lo que es una decisión tenemos que centrarnos en cuatro elementos que son fundamentales en el proceso de decisión: la decisión siempre está en función de varias posibilidades que puedo comparar entre sí desde el mismo plano, por lo tanto, implica unas renuncias, trae también unas consecuencias serias y está dirigida por un objetivo mayor, que es el que de alguna manera inclina la balanza por una o por otra de las opciones.

1. *No hay decisión si no hay varias opciones susceptibles de ser escogidas*

El ejercicio de la libertad se da en el momento en el que soy capaz de autodeterminarme al elegir el camino que quiero recorrer, esto es, en el momento en el que frente a un abanico de posibilidades reales, conscientemente decido asumir una y dejar a un lado otras. No hay libertad si no hay posibilidad de elección, de escogencia entre múltiples

---

4   Elizalde A., *Desarrollo humano y ética para la sustentabilidad*, PNUMA, México D.F. 2003, p. 16.

opciones. Si vas a decidir qué comer, es imposible que exista un único plato como posibilidad; si así fuera, no decides sino que estás obligado a comer eso y no otra cosa. Cuando se tiene para escoger una sola posibilidad no estamos ante una verdadera decisión, es una imposición, ya sea agresiva o sutil, pero es una imposición.

Las decisiones se toman desde las múltiples posibilidades. Hay que ser conscientes de esta realidad a la hora de actuar y tomar una decisión, tratando de comprender bien qué es lo que está sucediendo, cuál es mi verdadero rol allí y qué consecuencias trae para mi vida. Es la mejor manera de irse adueñando de un proceso que en principio es ajeno, porque no decido en él.

De todos los caminos que podría tomar, escogeré uno. Esa escogencia me llevará a un lugar que he elegido, en el que habrá un paisaje, unos acompañantes, unas pruebas, unos momentos duros, unas satisfacciones y tantas cosas más que solo estarán en este camino. Los demás dejarán de existir como una posibilidad real, porque la realidad es esta que he escogido, esta apuesta, la que he tomado por decisión propia.

Cada uno de nosotros ha hecho su camino y en algún momento de su existencia se dijo: "Haré esto", cuando pudo haber hecho lo otro. Ahora está aquí, justo en este lugar, después de recorrer una buena distancia. Pudo haberse casado con otra persona, o pudo haberse no casado, pudo optar por tener menos hijos, o más, o no tener; pudo ahorrar o pudo gastar, cualquiera que fuese aquella decisión que no tomó, ya no la tomó, ahora queda esta vida y no otra. Y esta es la que hay que tratar de comprender, por qué tomé este camino, por qué este y no otro.

Me vuelvo a ubicar en el instante personal en el que tomé la decisión de ingresar al seminario. No era la única opción. Había otras posibilidades bien claras y factibles. Podía ingresar a la universidad a estudiar una carrera de humanidades, pues mis calificaciones y mi preparación así me lo permitían.

Podía ir a prestar el servicio militar y servirle a la sociedad, opción que me seducía por la disciplina y las posibilidades que brindaba en ese momento. Podía volver al trabajo en el que me había desempeñado en las vacaciones de los dos últimos años de bachillerato. Había otras posibilidades. No era ese el único camino. Cuando lo elijo, lo hago consciente de las bondades y las limitaciones de todas las opciones que están enfrente. Ser consciente de eso hace que las consecuencias de la elección se puedan vivir con mayor responsabilidad.

Seguro que de igual manera te pasó a ti cuando decidiste lanzarte por una opción de vida. Eso debe ser claro para que no sientas que es una imposición de la vida, sino que es una decisión tomada por ti. Al vivir el proceso de decisión hay que ubicar claramente cada una de las opciones posibles que existen; no se deben tomar decisiones sin mirarlas, analizarlas, sopesarlas y proyectarlas.

Algunas veces me preocupa cómo se toma la decisión de quedarse con una pareja —situación fundamental en el éxito o no de la relación afectiva— ya que creo que por el estado de enamoramiento —estado siempre de idealización del otro y de ausencia de realidad— no se tiene claro que hay otras opciones, tan válidas y posibles, sino que se "enfocan" de manera incluso inconsciente en esa posibilidad y en ninguna otra.

Muchas relaciones comienzan a fracasar allí mismo, porque no se está eligiendo en verdadera libertad; es más, no se está eligiendo a la persona real, al ser humano de carne y hueso, sino a la idealización que he hecho en mi mente y que la he cargado sobre mi pareja; o, simplemente, se está asumiendo que ese estado de idealización en el que se está es permanente, y ya la vida y la psicología nos han enseñado que es totalmente transitorio[5]. Se ilusionan tanto que no ven otras opciones, otras posibilidades, viviendo un proceso humano distinto realmente al de una verdadera decisión.

Ahora, muchas situaciones de la vida nos lanzan a la encrucijada de tener que "decidir", actuar, sobre una sola posibilidad. Aquí realmente valdría la pena dudar de si existe un verdadero proceso de decisión.

No podemos creer que estemos "realmente" decidiendo cuando no hay de dónde escoger. Cuando ni siquiera no-decidir es una posibilidad. Es importante desenmascarar estas situaciones en nuestro interior para saber realmente frente

---

5 "Algunos aspectos del enamoramiento se asemejan a los pensamientos y sentimientos de las personas maniáticas. El resplandor ilusorio del amor, que consiste en magnificar e idealizar las cualidades positivas del amado, y la visión en túnel que permite ver solo los atributos positivos y oculta los negativos, se descubren en el pensamiento típico de las manías. La imagen brillante del amado durante el periodo de enamoramiento forma un fuerte contraste con las negativas y opacas que emergen con la desilusión... muchas personas enamoradas, como lo veremos, están tan absortas en sus placeres que se olvidan de la posibilidad de que las cualidades que provocan esa elevación sean ilusorias". Beck Aaron, *Con el amor no basta*, Paidós, Buenos Aires, 2008, pp. 52-53.

a qué estamos y saber determinar consecuencias posteriores. Estando en otras condiciones, con otras posibilidades al frente, seguro hubiéramos actuado de otra manera, eso debe quedar claro.

Situaciones de manipulación en las que se te pone frente a dos alternativas totalmente perjudiciales para ti y no tienes de dónde escoger no pueden ser entendidas como un verdadero proceso de decisión. Es más, muchas veces esto resulta como fruto de un proceso de aprendizaje existencial en el que debías escoger entre dos únicas opciones, negativas ambas. Por ejemplo, cuando te dicen: "O te tomas la sopa de verduras o te doy con la correa". Pues ni la sopa ni el golpe eran opciones reales de decisión, sino una imposición con apariencia de decisión. El problema es que aprendimos que así se decide, entre dos únicas opciones, negativas ambas.

¿Cómo creer que un verdadero proceso de elección es una situación en la cual la única opción es salir perjudicado? Ante una situación de infidelidad en la que había sido sorprendido, el esposo le decía a la esposa engañada: "Te doy dos posibilidades, o aceptas la situación y me compartes con ella o simplemente te vas de la casa y dejas todo lo que tienes". Ese no es un proceso de decisión, ahí no hay de dónde escoger, se le está haciendo pasar un proceso de manipulación por un proceso de decisión.

No se puede decidir así, esas no son las únicas alternativas, con seguridad hay otras que pueden evidenciarse para que haya un verdadero proceso de decisión. No se puede caer en esa trampa que están tendiendo.

Y como dije, ese proceso de aprendizaje negativo entre dos únicas opciones nos hizo comprender equivocadamente que en la vida solo existen esas alternativas que nos presenta el tirano de turno. Y la realidad no es así, porque ni te aguantas la infidelidad ni te quedas sin nada. Hay muchas otras posibilidades como, por ejemplo, que quien se vaya de la casa sea el infiel, que te quedes con la mitad de todo —como manda la ley—, que pelees por tus derechos y que te sacudas del yugo que te impusieron por tu incapacidad de autogestionarte.

No es cierto que las decisiones de nuestra vida estén enunciadas en las palabras de un convencido de ser nuestro dueño. Engaño y falsedad absoluta que podemos creer si no aprendemos que nunca se agotan las posibilidades de decidir y de fabricar con cada decisión un mundo posible que puede que no esté, pero que estará porque lo construiremos. Lo otro es una coacción que, digo bien, podemos decidir asumir y vivir.

En estas situaciones estamos obligados y no somos quienes verdaderamente decidimos. A veces nos vemos abocados a actuar de la manera menos acorde con lo que somos, pensamos y juzgamos, no es nuestra decisión realmente, es la consecuencia de un proceso de presión, de imposición en el que estamos inmersos.

Es importante no caer en estas trampas que se generan en las relaciones interpersonales o incluso en las relaciones que tenemos en otras dimensiones de la vida. No estoy decidiendo, porque no tengo opciones para escoger. O buscas cambiar el plano de vida y hacer evidentes las otras posibilidades de elección y haces una elección verdadera o actúas desde las variantes propuestas, pero comprendiendo que no estás siendo libre.

Sin poder comparar las posibilidades, sin encontrar todo el abanico de opciones que tengo, sin entender que la vida no se reduce a blanco y negro, sino que hay otras opciones con matices bien interesantes, no creo que haya un verdadero proceso de decisión.

Ahora, la vida no es plana y las opciones que elijo no tienen una sola dimensión, son siempre multidimensionales. Tienen siempre varias caras o vienen emparentadas con otras opciones que aunque no son explícitas en ese momento, sí están presentes y se harán notar en cualquier momento de la vida.

No se puede soslayar esa realidad porque podría implicar estar eligiendo sin la verdadera conciencia que se necesita. Cuando estoy escogiendo esa opción, lo estoy haciendo con todas las dimensiones que tiene, con las otras opciones siamesas que tiene y que se harán notar en algún momento de la vida y que tendré que enfrentar.

Con un ejemplo que he visto mucho en las relaciones de pareja creo que puedo ser más claro todavía: algunas mujeres dominantes, con una gran capacidad de liderazgo en sus iniciativas empresariales, a la hora de escoger al hombre con el que compartirán un proyecto de vida en el matrimonio lo eligen pasivo y dependiente, lo cual parece la mejor elección, y prácticamente puede serlo, pero no hay que olvidar que es posible que esa falta de iniciativa de ese hombre se manifieste en otras dimensiones de la vida, como la afectiva. Esta pasividad, que en lo empresarial es una gran opción, viene emparentada con una pasividad afectiva, lo que puede ser un motivo de conflictos y decepciones.

En mi caso, decidir ser un servidor de la comunidad, desde el sacramento del orden sacerdotal, me hace ser de todos, en cuanto que estoy al servicio de todos y puedo construir con todos unas relaciones de solidaridad y fraternidad, pero a la vez me hace ser de nadie, en cuanto que no hay una relación singular, profunda, afectiva, de exclusividad con nadie. La opción tiene las dos dimensiones y ambas tienen que ser explícitas a la hora de asumirlas.

Es imposible armar la vida por catálogo, con piezas hechas a la perfección y con aristas controladas según nuestra voluntad. Cuando uno elige con libertad, responsabilidad y sabiduría, tiene claro que no está creando un estado libre de contradicciones e imperfecciones. No hay una Barbie o un Kent ideal que se comportará exclusivamente como quiero que sea mi pareja ideal; que calle y hable según mis deseos, que haga o deshaga lo que mi voluntad pide.

Uno escoge realidad, situaciones y personas que tendrán sus bondades y también sus bemoles, que tendrán virtudes y defectos, es más, que tendrán virtudes que llegarán a parecer defectos en momentos muy puntuales. Pero esa es una realidad con la que tengo que aprender a lidiar.

También es posible que en el afán de elegir una opción se crea que ella va a conceder lo que realmente no puede conceder. En algunos casos de la elección de pareja, lo que se quiere es acabar con la soledad y se decide buscar a una persona para ello, sin comprender que es posible que esa soledad no pueda ser llenada por nadie: "Mientras las relaciones se consideren inversiones provechosas, garantías de seguridad y solución de sus problemas, usted estará sometido al mismo azar que cuando se tira al aire una moneda. La soledad provoca inseguridad, pero las relaciones no parecen provocar algo muy diferente"[6].

Decidir conscientemente implicará tener clara esta realidad. A veces, afanados por el logro del resultado, embriagados por el deseo de tener a esa persona, obnubilados por el brillo de esa opción, decidimos sin tener presente esa multidimensionalidad de la vida, y nos enfrentamos a situaciones conflictivas, dolorosas, que podríamos comprender y analizar si hiciéramos un buen proceso de decisión. ¿Qué es lo que realmente estamos eligiendo? ¿Qué características totales tiene esa persona? ¿Cómo comprender su aparición en nuestra vida?

2. El verdadero proceso de decisión es también un proceso de renuncia

Cuanto tengo varias opciones y elijo una estoy a la vez renunciando a las otras. Por muy compleja que sea la realidad siempre hay que renunciar. No podemos tenerlo todo. No podemos pretender que todas las posibilidades que queremos y deseamos, y aun necesitamos, estén recogidas en una sola opción. Creo que siempre hay alguna que no cabe y a la cual estaremos renunciando.

En cada decisión hay algo que dejo, que abandono, sea real o virtual, en construcción o ya hecho. Me caso, digo sí a una pareja, y no al resto de la humanidad de ese mismo género. Una decisión tomada a medias, es decir, sin la renuncia

---

6   Bauman Z., *Amor líquido*, Fondo de Cultura Económica, Buenos Aires, 2009, p. 31.

que implica, es un fardo pesado cuya renta llegará en algún momento a pasarme factura.

Ya había dicho que la etimología de la palabra decisión nos remite a esta realidad, al cortar se pierde algo, se quita algo, se deja algo. Si no se es consciente de esta absoluta realidad de la decisión no se puede hacer un verdadero proceso de decisión. En el proceso mental-cognitivo que es la decisión debe quedar claro a qué estoy renunciando y por qué lo estoy haciendo, teniendo claro qué consecuencias me traen esas renuncias.

No se puede entender la renuncia de la decisión como una pérdida sino como una eventual "ganancia". Es importante que no despreciemos la posibilidad de renunciar, porque hacerlo implica desconocer la naturaleza misma de las decisiones que tomamos.

Muchos están sufriendo porque tomaron sus decisiones sin la certeza de las renuncias que estaban haciendo. Muchos momentos de infidelidad, de engaños, de "otras aventuras" tienen su razón de ser en no comprender que la elección de pareja, en el contexto cultural y emocional monógamico en el que vivimos, exige optar por una y renunciar a muchas otras.

Hay situaciones en las que la renuncia se desprende de las condiciones mismas de mi ser "espíritu encarnado[7]", por mi dimensión corporal al elegir unas opciones se me impone la renuncia de otras. ¿En este momento voy a Bogotá o a Santa Marta? No puedo ir a los dos lugares en el mis-

---

7 Lucas R., *El hombre, espíritu encarnado. Compendio de antropología filosófica*, Sígueme, Madrid, 2013.

mo momento. Las dos opciones se niegan una a otra. Elegir aquí es renunciar de manera clara y evidente. Y en el proceso de decisión eso tiene que estar totalmente claro para que no haya ningún tipo de frustración o de decepción después.

En otras situaciones la renuncia es fruto de la realidad cultural o social en la que se vive. La renuncia aquí depende no de la naturaleza misma de la opciones, sino de la manera como se vive en la sociedad. Renunciar a una pareja al elegir otra es fruto del contexto monogámico en el que vivimos —aunque soy de los que creen, pero esa es otra discusión, que la estructura del amor erótico pide exclusividad[8]—, del contexto social y cultural en el que decidimos.

Es importante dejar claro que en el auténtico proceso de decisión la renuncia no se nos impone sino que es una acción nuestra. Podríamos no renunciar. Esa es una de las posibilidades válidas que se nos presentan. Lo que sí se nos impone por las condiciones de nuestro ser o por las circunstancias sociales-culturales en las que vivimos es no poder tener las dos opciones que entre sí se excluyen, hay que renunciar a una.

Como presbítero católico he experimentado muy bien lo que significan las renuncias que implican algunas decisiones. Cuando decidí pedir ser ordenado en la Iglesia católica —luego de todo el proceso de formación— fui consciente que esa "elección", esa "decisión" implicaba (por la disci-

---

8   No me imagino a ningún ser humano en sano juicio queriendo compartir a su amada con otros. Lo normal es que el amor erótico exija exclusividad, quiero que seas mío o mía y de nadie más. Es lo que la experiencia me muestra que quieren los que aman.

plina actual de la Iglesia y desde la comprensión de Mateo 19, 10-12[9]) asumir el celibato y en esa medida renunciar a las relaciones afectivas y sexuales de pareja.

No se me impone la renuncia. Yo, desde mi libertad, desde mi capacidad de decidir, la asumo y la acepto. Lo mismo tiene que comprender aquel que decide casarse con una persona y le promete fidelidad, renuncia a otras posibilidades de relación de pareja con otras personas y esta es su propia decisión y no una imposición. Lo cual implica que antes de decidirse se necesita la toma de conciencia de las características de las demás opciones que hay para que en el momento de "cortar" con ellas se puedan asumir con responsabilidad y total compromiso su ausencia en nuestra vida.

La renuncia nos enfrenta a una de las condiciones de nuestro ser humano: somos ausencia también. Lo que somos pasa por lo que no somos, por lo que no tenemos, por lo que no podemos. La afirmación de nuestro ser no se hace solo desde lo que somos, tenemos y podemos.

Asumir esta realidad nos permite enfrentar con mayor tranquilidad la vida, no porque las ausencias desaparezcan, sino porque las podremos comprender como parte del ca-

---

9 "Los discípulos le dijeron: 'Si esa es la condición del marido con la mujer, más vale no casarse'. Y él les respondió: 'No todos puede con esto; solamente aquellos que reciben tal don. Porque hay eunucos que así nacieron desde el seno de su madre, hay eunucos hechos eunucos por los hombres y hay eunucos que a sí mismos se hicieron eunucos por el reino de los cielos. El que pueda entender que lo entienda'". Este texto expresa la posibilidad del celibato que tiene como causa y objetivo el reino de los cielos. Situación que expresa la peculiar e intensa relación con el Padre Dios, que mueve a formas de vida poco usuales y en algunos momentos chocantes, pero válidas.

mino. Negarse a las renuncias es, de alguna manera, negarse a vivir la vida, porque ellas están siempre a la orden del día casi en todas las situaciones cotidianas. No podemos tenerlo todo. Creer que sí lo podemos no solo nos genera conflictos interiores serios, sino que nos hace enfrentarnos a personas que amamos y con las que quisiéramos compartir de mejor manera la vida.

Es importante tomar decisiones siendo conscientes de las renuncias que hacemos, comprendiendo que la felicidad también está enmarcada por esas ausencias que tenemos en la vida.

Bajo la absurda noción de libertad, se ha erigido una idea que odia la renuncia, que la niega y que promete todo; como si fuese posible tenerlo todo. Sin embargo, es un espejismo cuyo precio mayor es la verdadera renuncia a aceptar la vida como es en sí misma. La consecuencia es la insatisfacción de la gente que al tenerlo todo en apariencia no tiene nada en realidad, solo migajas, superficies, formas, mentiras con sensación de verdad, realidades de icopor sin ningún peso, sin valor verdadero.

Una decisión tiene que implicar la conciencia de que se renuncia, se deja de lado aquello por lo que no opté, y se apuesta la vida por aquello que he decidido, que libremente me he propuesto escoger como lo mío, por lo que invertiré mi tiempo, mi esfuerzo, mis posibilidades para que sea lo que deseo que sea, para que llene el espacio que creo que puede llenar, para que me dé un sentido, una certeza de felicidad construida.

3. Toda decisión está tomada desde un objetivo que tras-ciende el momento en el que se está decidiendo

Las decisiones son presentes, pero siempre nos lanzan hacia el futuro. El hombre como proyecto, como ser inaca-bado que se está haciendo constantemente encuentra en la decisión su manera de ser en el futuro. El ser humano no queda congelado en el aire del presente, sino que siempre está en constante movimiento. Al decidir, la razón funda-mental para hacerlo no se agota en las condiciones en las que está, sino que trasciende hacia el futuro. Se decide en función del futuro, del objetivo que se tiene.

Es importante tener claro de qué manera influye en mi futuro la decisión que estoy tomando, la elección que estoy haciendo, las renuncias que se han realizado, la consecución de los objetivos por los cuales estoy trabajando.

No se puede decidir sin esta perspectiva, ahogado por la oscuridad del hueco presente. Siempre será necesario mirar más adelante, romper el límite del ahora y buscar sus im-pactos en el tiempo que está llegando.

No se elige bien si tener de frente esta influencia en la consecución del objetivo de vida. De hecho, es casi el rasero con el cual mido las opciones y termino decidiéndome por una. No se trata de creer que todas las opciones son iguales, puesto que cada una de ellas impacta de manera diferente mi proyecto futuro.

Mucho menos se puede elegir bien si no se sabe cuáles serán las implicaciones en cuanto a mi propia felicidad. Puedo dedicarme a sentir el placer momentáneo que puede producirme ofender a quien se equivocó en algo, urdir en la herida abierta, echar leña al fuego de su dolor, mandar

dos frases que lapidarán la maltratada dignidad. Pero...,
y aquí viene lo bueno, no pretenderé que eso se quede sin
hincharse y sin que la hinchazón me pase una buena factura algún día.

No existe una realidad en la que uno escape invicto de
todas las batallas. Y llegará un momento en el que el golpea-
do tenga la posibilidad de golpear.

De otro lado, las decisiones que estoy tomando no alu-
den únicamente al tiempo presente. Estoy construyendo con
ellas el piso sobre el que edifico mi futuro. Por eso habría
que preguntarse qué tipo de cimiento estoy echando y qué
tipo de futuro pondrá los pies sólidos sobre él. Nada es casual, sino causal. En cada decisión estoy dando forma a lo
que será lo consecutivo de mi existencia.

Si me dedico a decir mentiras, no podré quejarme cuando llegue el momento en el que nadie me crea lo que digo.
Si me dedico a tratar mal, no debe resultarme extraño que
nadie quiera estar conmigo. En cada decisión va implícito
un embrión del futuro.

El corte de algunas posibilidades que hago al decidir está
determinado por esa influencia, por eso debe quedar explí-
cita y debo tenerla bien presente.

Muchas veces las opciones que tomo pueden parecer
para el presente totalmente negativas, pero terminan posibilitando un mejor futuro para mí y los míos. Estoy pensando,
por ejemplo, en las decisiones que pasan por el sacrificio,
por diferir el placer, y que pueden ser leídas como negativas
solo si se miran desde el presente, pero si las proyectamos
tienen un sentido muy profundo y valioso.

En mi proyecto personal son muchas las decisiones que he tomado que parecen demasiado negativas para ese momento, pero que fueron una gran bendición para el futuro. Estoy pensando, por ejemplo, en los momentos que quería irme a dormir pero decidía seguir leyendo y tratando de comprender esas páginas que me había propuesto como guía de trabajo. En ese momento seguir parecía la peor decisión, pero cuando las ideas aportadas por esas páginas aparecieron dejando su rédito, entonces sí que significaban mucho esas decisiones tomadas para la vida.

Podríamos pensar también en los momentos en los que cuando niños obedecíamos, aun en contra de nuestra voluntad. La decisión parecía no ser la mejor, pero luego, cuando esas actividades ordenadas por nuestros padres daban sus ganancias, nos sentíamos felices y dichosos de haberla tomado.

Creo que no se puede decidir olvidando esta realidad. Cuando una decisión no parece tener mucho sentido en el hoy hay que recordar que a veces es el futuro el que le da sentido. Hay decisiones que se toman hoy para gozarlas mañana.

Podríamos tomar de nuevo el ejemplo de Zaqueo (Lucas 19, 1-11). Su decisión de hacer el ridículo subiéndose a un árbol para poder ver a Jesús lo llenó de satisfacción cuando el propio Jesús lo vio y le pidió que lo recibiera en su casa. El esfuerzo de asumir una actitud que seguro muchos le criticarían, de hacer lo que muchos no consideraban bien, tiene sus frutos en la propuesta que le hace el Señor. Y aún más el aceptar que Él vaya a su casa, con todas las dificultades que eso puede implicar para una persona, le va a cambiar la vida y lo va hacer ver a los otros de una manera totalmente nueva.

Es el futuro el que estamos construyendo con las decisiones que tomamos, y es en el tiempo por venir cuando quedará claro si acertamos o no en la palabra con la que respondimos ante la pregunta que se nos hizo.

No sabemos que pasó con el joven rico (Marcos 10), pero imagino que muchas veces, cuando apremiaba el sentido de la vida, cuando volvía a constatar el vacío de su manera de vivir —basada en el tener y el hacer—, cuando se encontraba con el pírrico triunfo de cada acción cotidiana que no llena ni hace feliz, era cuando volvía a lamentarse de haber rechazado la propuesta de vida del maestro Jesús.

Las decisiones se toman hoy, pero es en el mañana cuando realmente se sabe si fueron las adecuadas y estuvieron bien tomadas. Es en el futuro donde esas decisiones son realmente valoradas. Y es por ello que al tomarlas tenemos que tratar de comprender bien el impacto que van a tener en el mañana. Recuerdo a un joven que me pedía una orientación vocacional; él estaba indeciso de qué opción de vida tomar, de qué carrera estudiar. Me comentó que su sueño era ser médico y le dije que por un momento imaginara la vida de los médicos, la manera como estos tendrían que realizar sus jornadas y que desde allí tratara de tener claro si ir a la Facultad de Medicina a estudiar era su mejor opción.

Al final, al imaginarse con una vida totalmente dedicada al servicio de los demás, sin horarios definidos, en medio de enfermos y de clínicas, el joven decidió que esa no era su vocación y optó por estudiar otra carrera. Hoy es un excelente profesional en el área en la que se desempeña.

Esta dimensión tan importante del verdadero proceso de decisión se expresa hoy en la llamada teoría de los escenarios, en los cuales desde la prospectiva se trata de tener claro cuáles son las posibilidades que se generarían con nuestra decisión y la recepción que de ella hagan los otros[10].

Cuando a alguien lo sorprende completamente el escenario que su decisión generó es porque no ha habido un buen proceso de decisión, es porque ha improvisado o simplemente ha escogido sin analizar bien las condiciones.

4. Desde la estructura antropológica es claro que toda acción genera una reacción

Las acciones siempre están relacionadas entre sí. No están aisladas una de otra, sino que por la propia estructura de nuestra realidad siempre una acción desencadena otra. En este contexto queda claro que todas las decisiones generan consecuencias.

Cuando tomamos una decisión esperamos que ocasione algunos cambios o transformaciones en la realidad que vivimos y así poder alcanzar el objetivo planeado. Es importante tener clara la relación entre decisión y consecuencia, ya que esta relación no es arbitraria o mágica. Hay una relación de causa-efecto. A tal decisión, tal efecto, lo cual

---

10 Michel Godet: "Un escenario es un conjunto formado por la descripción de una situación futura y la progresión de los acontecimientos que permiten pasar de la situación de origen a la situación de futuro".

nos invita a pensar bien cuáles son las consecuencias que se generarían a partir de las acciones u omisiones que hayamos elegido.

Normalmente, las consecuencias son de la naturaleza de la decisión que se hace. Muchas veces, el gran problema está en esperar una consecuencia de naturaleza totalmente contraria a la de la decisión. Bromeo sobre este aspecto al decir que si sembramos una semilla de mango es normal que nazca un árbol de mango; es poco inteligente esperar que de esa semilla sembrada nazca un árbol de tamarindo.

Un ejemplo para considerar es el de aquellos que sufren la soledad, es decir, se encuentran sin relaciones que les permitan sentirse interrelacionados con los otros. Muchos de ellos se preguntan: "¿Por qué estoy solo?". Y siempre me gusta preguntarles: "¿Qué decisiones tomaste que te llevaron a vivir en soledad?". Las realidades no caen del cielo mágicamente, sino que son ocasionadas.

Si la soledad es la realidad que hoy estás viviendo, seguro que tus decisiones la ocasionaron. Muchas personas que fueron distantes, agresivas, conflictivas, despreciativas del otro en sus años mozos después terminan preguntándose por qué están solas.

Cada uno tiene que tener presente que las realidades que vivirá en el futuro son consecuencia de las decisiones que está tomando en este momento y por lo mismo no debe dejar nada a la improvisación. Su condición de ser en el tiempo, de ser un proyecto, un acto inacabado, exige que cada acción del presente sea revisada en función del futuro, esto es, en sus consecuencias. Cuando estas se analizan bien y no se pierde de vista el objetivo por el cual se tomó alguna decisión, se pueden asumir con más tenacidad y audacia cuando aparecen.

Un ejemplo claro es la historia de Viktor Frankl, un psicólogo vienés que por tener ascendencia judía fue llevado a un campo de concentración durante la persecución nazi. Antes de ir al campo de concentración, Frankl consiguió una visa para emigrar a Estados Unidos. Pero sus padres no lograron conseguir la documentación que evitara correr el riesgo inminente de ser encarcelados o deportados. La situación de los padres planteaba a Viktor una difícil decisión, una duda de conciencia: ¿debía atender a sus padres o proseguir una esperanzadora carrera en Estados Unidos?

Desconcertado e indeciso, salió a caminar un rato con la intención de solucionar el dilema. Cuando regresó a su casa, con pesadumbre, observó un pequeño pedazo de mármol en la sala. Se dirigió a su padre y le preguntó:

"¿Qué es esto?". El padre le respondió: "Esto lo levanté de un montón de escombros donde antes se encontraba la sinagoga que han quemado los nazis. El pedazo de mármol es una parte de las tablas de los mandamientos. Si te interesa puedo decirte también de cuál de los mandamientos es el signo en lengua hebrea que se encuentra allí grabado. Porque solo existe un mandamiento que lo lleva como inicial". "¿Cuál es?", le preguntó a su padre. Él le respondió: "Honra a tu padre y a tu madre, para que vivas por mucho tiempo en la tierra…".

Así que se quedó en la tierra junto a sus padres y dejó vencer la visa. Luego fue llevado al campo de concentración, donde permaneció mucho tiempo. Tomó una decisión y vivió una dura, cruel e injusta consecuencia que, aunque lo hizo sufrir demasiado, le reportó sentido a su proyecto de vida, ya que lo hizo coherente con los valores que lo definían como ser humano.

Quien es consciente al decidir asume con criterio las consecuencias que estas generan. Ser adulto supone esa capacidad de asumir las consecuencias de sus actos. Ser dueños de nosotros mismos también nos prepara para responder a esas consecuencias que se generan por nuestro actuar.

Ser libres implica ser responsables. Así como no permitimos que nadie nos reemplace en la tarea de decidir tampoco podemos pretender que nos reemplacen en la responsabilidad de "cargar" con el peso de esas consecuencias, que a veces son difíciles, complejas, dolorosas y tristes.

Muchas veces deseamos profundamente ser libres, pero no alcanzamos a "comprender" el peso de la libertad. Es necesario entender que muchos cuando logran descubrir las consecuencias de su ser libre, sienten miedo y evaden su realidad. El hombre se esfuerza mucho por tratar de liberarse de todo aquello que lo determina, pero se ahoga en las consecuencias que esa decisión tiene.

Los que se han liberado de las determinaciones y esclavitudes que las sociedades antiguas, premodernas, les imponían no han alcanzado a ser libres —para decidir sin determinaciones externas—, sino que han caído en lo que Erich Fromm llama "mecanismos de evasión", que son otras maneras de no ser libre. Por eso él se cuestiona si es posible realmente ser libre, sano y normal[11]. Creo que ese miedo a la libertad es miedo a las consecuencias de serlo. Siempre resulta más cómodo que el otro tome las decisiones por mí porque de alguna manera me quita la angustia, la tensión de tener que decidir y a la vez asumir todas las situaciones que eso desencadena. Lo cierto es que desde nuestras decisiones podremos alcanzar el sentido de la vida y realizarnos como seres humanos.

Una persona que se considera libre es aquella que se posee a sí misma y determina las líneas de su propia existencia, no ya bajo la presión externa o interna, sino sobre la base de opciones personales y meditadas. Obrar libremente, según muchos, es obrar sabiendo lo que se hace y por qué se hace, es dar un sentido a la vida y asumir personalmente ese sentido[12].

El sentido con el que tomamos la decisión es el único que puede arrojarnos a tomar riesgos, enfrentar situaciones incómodas y disfrutar de lo que hacemos. Pero cuando las decisiones se toman bajo algún tipo de presión, las fuerzas

---

11 "El término normal (o sano) puede definirse de dos maneras. En primer lugar, desde la perspectiva de una sociedad en funcionamiento, una persona será llamada normal o sana si es capaz de cumplir con el papel social que le toca desempeñar dentro de la sociedad dada. Más concretamente, ello significa que dicha persona puede trabajar según las pautas requeridas por la sociedad a que pertenece y que, además, es capaz de participar en la función de reproducción de la sociedad misma, es decir, está en condiciones de fundar una familia. En segundo lugar, desde la perspectiva del individuo, consideramos sana o normal a la persona que alcanza el grado óptimo de expansión y felicidad individuales". Fromm E., *Miedo a la libertad*, Paidós, Buenos Aires, 2008, p. 168.

12 Ibíd.

para enfrentar las consecuencias se agotan como el agua entre los dedos.

Siguiendo el ejemplo de Zaqueo (Lucas 19, 1-11), vale la pena destacar las consecuencias que tiene que asumir este hombre por su decisión de tratar de ver a Jesús y la de bajar del sicómoro para acogerlo en su casa. La vida le cambia. Su relación con Jesús hace que su visión de la vida sea totalmente nueva.

Esa transformación, que el relato muestra de manera inmediata y que seguro existencialmente comporta todo un proceso, muestra la consecuencia de haberle dicho que sí al de Nazaret. Esas consecuencias se plantean en términos de un cambio total de la visión que tiene de la relación con los hermanos y de la ubicación del dinero en su proyecto de vida. El que antes no tenía reparos en quitarles la plata a sus hermanos ahora anuncia que dará la mitad de sus bienes a los más necesitados y resarcirá a los que haya estafado: ese es un cambio y es una consecuencia de la decisión de buscar a Jesús y de acogerlo en la casa. Ha cambiado en su manera de ser y de hacer.

No olvidemos que no todas las decisiones tienen la misma importancia y gravedad. Hay unas que se refieren a elementos accidentales de nuestra vida, otras son fundamentales para la continuidad de nuestra existencia. Es un error querer vivir con la misma intensidad y preocupación todas las decisiones.

Quien deja que en su vida todas las decisiones tengan el mismo valor terminará estresado y sufriendo sin necesidad. Para saber vivir es fundamental poder determinar la importancia de las decisiones que tomamos. Una cosa es decidir si como helado de vainilla o de ron con pasas y otra cosa es decidir qué voy a estudiar en la universidad; una cosa es decidir qué camisa me pongo y otra muy distinta es en qué colegio voy a matricular a mis hijos.

Considero que las consecuencias nos ayudan a comprender la importancia, para el proyecto de vida, de las decisiones. La preparación y el discernimiento previo para la toma de decisión está en relación directa con la gravedad o la trascendencia de la decisión. Es importante saber que no en todas las decisiones te juegas el sentido de la vida, y esto te permitirá estar tranquilo y sereno frente a algunas situaciones.

A continuación propongo una clasificación de las decisiones:

- *Urgentes*. Hay decisiones que no dan espera. Las circunstancias nos exigen una respuesta inmediata, que logre controlar una situación adversa o que nos ponga en camino para algún objetivo. Estas decisiones hay que tomarlas de manera rápida, pero con cuidado, porque se puede correr muchos riesgos si no se analiza bien la situación presente y el impacto futuro. Hay que desarrollar un buena capacidad intuitiva para captar de un solo golpe el sentido de esa realidad que está enfrente. La capacidad lógica y el poder concluir rápidamente son fundamentales para poder responder a este tipo de decisiones.

- *Importantes*. Hay decisiones que pueden ocasionar un cambio de sentido en la vida, que pueden generar un cambio de lugar de vivienda o trabajo, que significan un impacto grande en mi propia historia. Podríamos llamarlas importantes. Son esas que no definen si sigo vivo o no, pero que sí marcan el rumbo de la vida. Tienen que ser tomadas con tranquilidad y serenidad, sabiendo al máximo todas las consecuencias que de ellas se derivan.

- *Vitales.* Hay algunas que nos sostienen en la existencia porque a través de esas decisiones satisfacemos las necesidades fundamentales de nuestro ser: comer, dormir, hablar, etcétera. Son decisiones que implican la existencia misma.

- *Fundamentales.* Son las que tienen que ver con el sentido de la vida. Tal vez no son urgentes, ni vitales en sentido concreto, pero son las que llenan de combustible el corazón del hombre. Estamos hablando de todas esas decisiones que están conectadas con la razón de ser de nuestra existencia, el por qué estamos aquí, el para dónde vamos, el quiénes somos... Todas las decisiones que busquen trabajar estas preguntas son fundamentales. Decisiones con respecto a las relaciones de pareja, o la experiencia espiritual son para mí fundamentales, pues afectan la razón por la que vivimos. Estas tal vez no aportan algo concreto y material, pero sí aportan el sentido y la fuerza para seguir adelante.

Cuando alcanzamos la madurez, somos dueños de nosotros mismos tenemos muy claro cuál es el lugar y la importancia de cada decisión, y aprendemos a asumirla con la intensidad y la preparación que se requiera.

La vida no se puede resolver ya en el paradigma que Edgar Morin llama de la simplicidad, caracterizado por el mecanismo, la linealidad, la certidumbre y lo cuantitativo. La vida es compleja. La realidad está llena de matices. Podríamos decir, parafraseando a Morin[13], que la realidad es monstruosa en cuanto no cabe en las categorías aristotélicas. Las decisiones, al formar parte de esa realidad humana compleja, tienen muchos matices que tenemos que comprender para escoger la opción correcta.

Es muy probable que el *quid* para comprender la realidad esté allí en los matices. Muchas veces despreciamos los detalles, nos centramos en las realidades gigantes de la vida que nos atraen como un imán, olvidando que es en aquellos donde se puede estar revelando el sentido de la realidad, incluso el rol que cumple para nosotros.

No despreciemos los matices a la hora de decidir. Tengámoslos presentes porque ellos pueden marcar la diferencia. El mundo no se divide en blanco y negro, hay una cantidad de grises que tenemos que ver y con los que tenemos que contar a la hora de tomar decisiones. No podemos pretender que la realidad quepa en los pequeños constructos mentales que tenemos, siempre se escapa algo y hay que salir a

---

13 "La complejidad no es un fundamento, es el principio regulador que no pierde nunca de vista la realidad del tejido fenoménico en la cual estamos y que constituye nuestro mundo. Se ha hablado también de monstruos, y yo creo, efectivamente, que lo real es monstruoso. Es enorme, está fuera de toda norma, escapa, en última instancia, a nuestros conceptos reguladores, pero podemos tratar de gobernar al máximo a esa regulación". Morin, E., *Introducción al pensamiento complejo*, Gedisa Editorial, España, 1990, p. 146.

buscarlo. Esos "desertores" son fundamentales para decidir. En ellos puede radicar el éxito o no de nuestra decisión.

Algunas veces no decidimos bien porque no comprendemos verdaderamente lo que está pasando. Nuestra mirada se ha quedado en los grandes ejes y no ha podido ver los detalles en los cuales se expresa verdaderamente lo que se nos quiere comunicar. De alguna manera, para poder aprender a decidir necesitamos aprender a leer la realidad.

La complejidad de la realidad no debe darnos miedo, sino que tiene que resultar un reto cada vez más fuerte para que hagamos nuestra elección con la seriedad que tiene en sus implicaciones y en sus causales. No es algo simple, sin importancia, como muchas veces llegamos a pensar de manera equivocada. Tampoco es una especie de universo insondable por el que nos es imposible transitar; es algo que requiere nuestra atención, que supone un esfuerzo para comprender y una convicción para realizarla.

¿O acaso no nos despliega un sentido grande el detalle de Zaqueo, que se esfuerza por ver a Jesús subiendo en un sicómoro, y no es él quien ve a Jesús sino que es Jesús el que lo ve y toma la iniciativa? No es un detalle menor. Creo que es la llave que abre la puerta de la comprensión de esa experiencia que el autor del Evangelio quiere mostrarnos y compartir con nosotros.

Capítulo 4
La vida es una acumulación de decisiones

Constantemente nos preguntamos realmente qué es la vida, y seguro tenemos muchas definiciones que hemos podido construir a lo largo de nuestra existencia y que son el fruto de nuestras lecturas, de las conclusiones a las que hemos llegado luego de diálogos intensos con amigos, reflexiones realizadas sobre las experiencias que hemos vivido. En medio de esa variedad de definiciones y de distintas voces que se alzan para manifestar su comprensión, a mí me gusta entender la vida como el resultado de ir acumulando nuestras decisiones. Sí, lo que realmente soy es lo que voy decidiendo ser. Es la decisión la que me va definiendo, y lo que llamamos vida no es más que la suma de todas esas decisiones con sus consecuencias. Lo que soy hoy es el resultado de todas las decisiones del ayer. Mi vida es la historia de mis propias decisiones, pero a la vez la apertura de las nuevas decisiones que puedo/tengo que seguir tomando.

Vuelvo a ubicarme en mi propio proyecto personal y voy dándome cuenta de cómo cada una de las experiencias vividas, desde las más apasionantes hasta las más aburridas, son el resultado de un sí, de un no, de una decisión que tomé. Mi vida ministerial como presbítero católico es el fruto de haber dicho sí a ese primer retiro al cual me invitaron, de haber aceptado las lecturas propuestas por el predicador, de haber participado en los grupos de oración realizados cerca de mi casa, de aceptar la pertenencia al grupo vocacional, de ir tratando de comprender qué propósito de Dios había para mí, de querer servir a los otros, de responder que sí a la propuesta de ingresar al Seminario Regional de la Costa Atlántica Juan XXIII. Todas son decisiones tomadas por mí, que he construido esta realidad personal que hoy tengo. Podría haber dicho que no y seguro que la vida sería otra. Tal vez me habría casado, estaría ejerciendo una profesión desde las humanidades, tendría varios hijos, andaría parrandeando y gritando vallenatos en cada madrugada en las que el sol me sorprendería compartiendo con los amigos. Al echar ese vistazo rápido hacia atrás también comprendo entonces que cualquier toma de decisión representa una apuesta por una posibilidad, por encima de otras que se presentan también como posibles[14].

Mi vida hoy es el cúmulo de todas las decisiones que he ido tomando; de las acertadas y de las equivocadas, de las que fueron bien pensadas y tomadas con mucha conciencia y también de aquellas en las que me sentí presionado y que tomé casi que inconscientemente.

Tener claro esto nos hace dueños de la vida. Nos quita cualquier concepto mágico y determinista que podamos tener. Nos invita a responsabilizarnos de todo lo que hemos ido generando y construyendo. Nuestra vida no es el fruto de los "males" que nos han hecho o de la "mala suerte" que hemos tenido, ni por lo que los otros han hecho en contra nuestra. Es el fruto de nuestras acciones, somos los que he-

---

14 Bach E., y Darder P., *Sedúcete para seducir*, Paidós, Barcelona, 2002, p. 173.

mos decidido qué hacer con cada situación y los que hemos ido creando esta vida en la que estamos. No olvidemos que siempre podemos decidir echar para atrás, tomar la decisión contraria. Esa no es una tragedia, es una posibilidad verdadera y no tenemos por qué tenerle miedo a usarla. Muchas veces puedo retractarme, puedo decirle que no a alguien a quien le he dicho que sí. Pero tengamos claro qué tipo de decisiones hemos tomado. Esto es, hay decisiones que por sus consecuencias nos hacen muy compleja la opción de echarnos para atrás. No sé si te ha pasado que te encuentras a alguien que hace mucho tiempo no ves y, ahora, tiene unas ideas totalmente "contrarias" a las que tenía hacía algún tiempo; eso nos sorprende, pero es normal. Los seres humanos tenemos esa posibilidad y debemos realizarla. Puedes cambiar, porque eres tú el que tiene que vivir esas decisiones y esas consecuencias que se van acumulando.

La vida es el resultado de nuestras decisiones puesto que es el fruto del paradigma que hemos escogido y desde el cual construimos cada uno de los detalles cotidianos que van formando la vida. Las personas, las relaciones que sostenemos con ellas, el lugar y el valor que les demos a los recursos, las maneras de juntarnos con otros, etcétera, dependen de la decisión que hayamos tomado de cómo entender y comprender la vida misma, de cómo entendernos y comprendernos nosotros mismos y en la relación con Dios. Estar al lado de tal o cual persona no es una casualidad, no es fruto del azar sino de una manera de ser, de estar, de compartir. No tengo este trabajo y realizo estas labores porque otros quieren, sino porque de alguna manera he decidido hacerlo. ¿Cuál es tu paradigma[15] de vida? ¿Cómo lo elegiste? Al decidir el paradigma, de alguna manera decidimos el tipo de vida que vamos a tener y las elecciones que vamos a realizar. Vuelvo a pensar en mi propia historia personal y en mi elección del cristiano como el paradigma de mi vida. Todo lo que he vivido, mis luchas, mis tensiones, mis caídas, mis aciertos, mis relaciones, dependen de esa manera de ver, de juzgar, de contar y de sentir la vida de Jesús de Nazaret.

La vida no se nos presenta como una entelequia, como una construcción mental, como una realidad terminada, sino como situaciones cotidianas, sencillas o complejas que se viven con cualquier grado de intensidad o gravedad. La vida no está hecha, la vamos haciendo. Son los días que se van sumando los que la forman. Es una realidad que vamos fabricando en cada instante con las decisiones que tomamos.

Haz el ejercicio de mirar hacia atrás y te darás cuenta de que eso que llamas tu vida, tu historia, no ha sido otra cosa que ir juntando decisiones-acciones, una y otra vez. Revisa cada situación y mira cómo detrás de ella hay una decisión que tomaste en un determinado momento de tu vida. Son tus propias decisiones enredadas con las de las personas que has decidido tener a tu lado. Toma conciencia de cómo otras decisiones te hubieran lanzado a "otra" vida.

---

15 "Paradigma" etimológicamente se origina de la palabra griega *paradeigma* que es el resultado de la unión del prefijo *para*, que significa junto, y del término *déigma*, que significa modelo o ejemplo. Es entonces un modelo de problemas y soluciones de una comunidad, reconocido universalmente como ley y susceptible de ser cambiado por uno nuevo.

En vez de maldecir por todo lo que estás viviendo, tendrías que revisar qué decisiones te han permitido este presente. El que es capaz de comprender cómo las decisiones del ayer lo trajeron a este presente es capaz de aceptar su presente y desde allí comenzar a transformarlo a través de mejores decisiones. Mi presente no ha caído del cielo, lo he fabricado, lo he realizado. Y por eso debo aceptarlo y valorarlo, y así tener la posibilidad de actuar en él.

Si lo que vivo en el presente no fue lo que soñé para mí ayer, debo tratar de comprender qué no hice bien. ¿En qué pude fallar? ¿Cuáles son las fallas más comunes?

Muchas veces la falla está en que no se pudo comprender realmente la realidad en la que se estaba y sobre la que se tenía que decidir. Faltó comprensión, porque tal vez faltó analizar y entender las lógicas/rutinas que la conformaban. Se decidió sin comprensión, sin entender qué estaba pasando y, obviamente, cuáles serían las consecuencias que esas decisiones traerían para la vida, que pueden ser las que hoy rechazas y que no viste venir por no haber comprendido bien la situación.

Se pudo fallar en que no se controlaron las emociones, lo que llevó a una situación estresante en la que la decisión tomada no fue realmente pensada y reflexionada, sino impulsada como resorte por las emociones que estaban presentes en ese momento. No hubo realmente un proceso de pensamiento que permitiera apropiarse de esa realidad y por eso terminamos arrollados por ella. La valoración que se efectúa, antes de tomar la decisión, sobre los pros y los contras del proyecto y los efectos positivos y negativos que pueden producir en su ejecución está marcada por el estado de ánimo y las emociones que nos conducen a plantearnos la conveniencia de llevarlo a cabo. Estas emociones impregnan el conjunto de la valoración[16].

Se pudo fallar en que no tenía toda la información necesaria para poder tomar una acertada decisión. Son muchos los momentos en los que hemos decidido creyendo que tenemos toda la información necesaria y luego, cuando pasan los días y logramos abrir más el lente, nos damos cuenta de que nos faltó mucha información, lo que hizo que nuestra decisión no fuera la acertada.

O simplemente constatamos que no podemos controlarlo todo y que muchas veces nuestros esfuerzos por lograrlo lo único que nos ocasionan son una úlcera o un gran estrés. La vida es compleja y las relaciones que establecemos los seres humanos también. Esto nos puede llevar a construir la vida de la manera menos indicada.

Seguro hay muchas otras causas para haber fallado, pero lo que quiero mostrar es la necesidad de entender qué pasó, tratar de darnos cuenta de cuáles son las relaciones entre las decisiones que he tomado y las situaciones que han ocurrido. Es tomar conciencia de que eso está mal, de que no lo hice bien, de que no es responsabilidad mía. No se trata de mirar el pasado para encontrar los errores y sufrir, sino de mirar hacia atrás en la vida para aceptar mi presente y plantearme cómo puedo hacer mejor todo.

Es importante dejar claro que mis decisiones afectan a los demás y que las suyas también nos afectan a nosotros.

---

16 Bach E. y Darder P., op. cit., p. 173.

Cuando planteo que la vida es la consecuencia de nuestras decisiones no estoy queriendo afirmar al hombre en un ambiente totalmente egoísta y aislado de los otros, porque esa manera de entender la vida no concuerda con la condición social y solidaria del ser hombre. Reconozco las complejas relaciones que se dan entre los hombres y la manera como sus decisiones se van entrelazando. A veces, lo que estoy viviendo no es una consecuencia directa de mi decisión, pero sí de la decisión de alguien a quien le he permitido entrar en mi vida o del haber decidido ir a un determinado lugar[17]. Por eso es muy importante tener al otro presente a la hora de tomar una decisión, situación muy compleja en una sociedad como la nuestra, en la que constantemente se presentan el egoísmo y el individualismo como el camino a la realización.

Las decisiones tienen que conjugar siempre la independencia con la responsabilidad, en el contexto de las relaciones interpersonales. Lo que yo decido no puede anular al otro, pasando por encima de su dignidad, pienso siempre en mí, pero sin que eso dañe la vida de los otros. Las opciones personales siempre se realizan desde la sensibilidad emocional y el compromiso ético. Y digo desde la sensibilidad

---

17 Situaciones como las "coincidencias", el "azar", generan muchas preguntas y cuestionamientos en este punto, porque pareciera que son situaciones que están totalmente fuera de nosotros, lo cual no implica que no tengan una causa y/o razón de ser. Que no las entendamos no significa que no existan o que sean misteriosas. Estoy convencido de que todo siempre tiene su razón de ser. Y, claro, para los que tenemos una experiencia de fe, esa razón trasciende todo lo que tenemos bajo control, pero no significa que ... alcanzar a través de nuestro conocimiento

emocional porque las decisiones acertadas no solo vienen de una mente fría. Las emociones y la razón no son como el agua y el aceite, sino que están íntimamente relacionadas a la hora de tomar una decisión. Nadie toma una decisión enteramente emocional o enteramente racional. Siempre están implicadas las dos[18].

> Investigaciones recientes llevadas a cabo en el campo de la neurociencia han demostrado que una persona muy inteligente, que sepa conservar la mente fría y mantenerse al margen de sus emociones, no solo comete una sucesión continua de desaciertos en el momento de tomar decisiones, sino que además no se tiene demasiado en cuenta a sí misma ni a otras y vulnera a menudo aquello que podría ser personalmente beneficioso y/o socialmente conveniente[19].

Es necesario que sea una decisión tomada desde la integralidad. Es muy importante tener presente esto porque a veces creemos que la relación entre razón y emoción es de oposición. Y lo ideal es que se complementen y nos permitan decisiones con mayor sentido.

En conclusión, nos queda claro que en la existencia humana, el presente y sus situaciones son producto de las decisiones que hemos tomado, de los caminos que elegimos y de las consecuencias que tenemos que asumir. De aquí se desprenden conclusiones que debemos tener en cuenta y que ya hemos venido señalando:

---

18 Damasio A., *El error de Descartes*, Crítica, Barcelona, 1996/2001, p. 9.

19 Bach E. y Darder P., op. cit., p. 18.

1. Asumir el presente como el resultado de lo que nosotros hemos decidido, aceptando que podemos fallar y que no todo lo hacemos de manera perfecta.

2. Revisar el pasado y descubrir en qué hemos fallado, eso no solo nos ayuda a aceptar más la situación sino que nos prepara para no fallar en el futuro.

3. Comprender que las decisiones son productos de mi ser integral, de mi razón y de mi emoción. Sin despreciar a ninguna ni maximizar a la otra.

4. En este orden de ideas es fundamental aprender a ser responsables de nosotros mismos. No podemos permitir que la vida se llene de manifestaciones mágicas que nos quiten la capacidad de decidir y de responsabilizarnos, ni podemos pretender que otros asuman las consecuencias de lo que nosotros mismos hemos generado.

5. Esto nos tiene que llenar de esperanza, porque así como logramos construir este presente seguramente podremos construir un futuro mejor.

En este contexto es fundamental que tengamos la actitud de revisar todas nuestras decisiones, en especial las que llamamos fundamentales, esas que están directamente relacionadas con el sentido de la vida. Revisarlas nos lleva a ir comprendiendo hacia dónde vamos en la nuestra, qué camino vamos recorriendo. Esto lo digo porque muchas veces no sabemos para dónde vamos y nos preguntamos cómo lo sabemos, y la respuesta es clara: revisando las decisiones que estamos tomando.

Las decisiones fundamentales son pocas y se toman con toda la preparación del caso. En ellas no se puede improvisar. Hacerlo compromete seriamente el sentido de la vida y nos puede llevar a situaciones inmanejables.

Como seres en el tiempo nos preocupa mucho el mañana, el futuro. No olvidemos que el futuro es la consecuencia real de las decisiones que estoy tomando en este momento. Por eso la importancia de saber bien qué estoy haciendo hoy con mi vida, cómo estoy decidiendo cada una de las situaciones de importancia en mi historia. No pretendas que el futuro sea de prosperidad si tus decisiones no son correctas, coherentes o no están bien orientadas.

El futuro tiene que ser pensado y vivido como la realización de lo que deseamos y podemos alcanzar. Para poder tener una visión alentadora del futuro es necesario vivir el presente con seriedad y con mucho trabajo, para ir construyendo lo que queremos tener en el mañana. La esperanza exige que seamos capaces de desear aquello que realmente podemos alcanzar. No se trata de desear cualquier cosa, ni de querer lo imposible, sino lo que desde nuestras capacidades podemos alcanzar a través de las decisiones que tomamos y realizamos.

Otro factor que debemos considerar es la relación decisión-acción. Y lo planteo porque muchas personas se quedan en la toma de decisión pero nunca actúan y nunca pasan al plano de la acción. La toma de decisiones por sí misma no transforma nada, tiene que ir acompañada de acciones concretas, de comportamientos que las expresen y sostengan. Siempre que pienso en esta situación recuerdo el relato del hijo pródigo que trae Lucas 15, 11-32. Me gusta ver cómo el joven, luego de marcharse de la casa de su padre y de sufrir todas las consecuencias de su decisión de vivir lejos del padre, resuelve volver e inmediatamente lo hace. Veamos:

> Tengo que volver a mi padre y decirle: "Papá, he pecado contra el cielo y contra ti. Ya no merezco que se me llame tu hijo; trátame como si fuera uno de tus jornaleros". Así que emprendió el viaje y se fue a su padre. (Lucas 15, 18-20).

Él toma una decisión e inmediatamente comienza a ejecutarla. Decide levantarse, regresar ante su padre y reconocer su error, pues inmediatamente se pone en camino para volver.

Esto es fundamental para alguien que está construyendo su futuro: no quedarse en la decisión. Ella no tiene un poder mágico, su poder se demuestra en la realización de las acciones, sin las cuales el poder de las decisiones es nimio.

¿Por qué decido lo que decido? El ser humano es libre. Cada uno decide qué hacer con la vida. No hay un determinismo biológico, ni genético, ni social, siempre estamos ante la posibilidad de decidir la vida de otra manera, eso no nos lo puede quitar nadie, pero de todas formas el ser humano es un tributario de su época y de su formación. Somos libres al decidir, pero lo hacemos desde el horizonte en el que vivimos y nos hemos formado. No decidimos en el aire, sino que lo hacemos en un ambiente —social, histórico, religioso, familiar— concreto. Revisemos el porqué decido lo que decido:

- *Decidimos desde nuestra historia.* Hemos aprendido a decidir en la casa viendo a nuestros tutores hacerlo y esa "manera" la hemos incorporado y la usamos cada vez que tenemos que decidir algo. La experiencia familiar frente a los proyectos, los conflictos, los desencuentros entre sus miembros son la base desde la cual se decide en la madurez de la vida. Somos modelados por nuestros tutores e incluso al ejercer nuestra libertad, lo hacemos desde esa influencia.

- *Decidimos desde nuestras necesidades y deseos.* Cada uno es libre para decidir, pero esa decisión tiene como horizonte, como base, las características psicológicas que tenemos. No son gratuitas nuestras decisiones, en principio tienen una explicación en la construcción de nuestro ser, en el carácter y la forma de relacionarnos con los demás, en lo que nos hace falta y queremos. Las necesidades marcan de manera clara las decisiones porque muchas veces lo que buscamos es satisfacer esa necesidad o carencia. El deseo cumple una función influyente en las decisiones; desde la carencia y la necesidad se desea y se decide también[20].

- *Decidimos desde los momentos históricos y sociales en los que vivimos.* Cada ser humano está en un aquí y en un ahora, y eso influye en la decisión que se tome. No se puede soslayar.

El tema del control de la vida y las decisiones es muy importante. Nadie puede controlar mi vida, soy el único que debo decidir en ella. Es la manera de aceptar que no puedo juzgar y condenar a los otros, sino que tenemos que revisar las decisiones que hemos tomado.

---

20 Comte-Sponville A., *La felicidad, desesperadamente*, Paidós Contextos, Barcelona, 2001, p. 27.

Víctor Frankl está convencido de que somos libres y que nadie nos puede quitar la posibilidad de decidir con qué actitud enfrentamos la vida. Los otros pueden hacer la vida tan difícil como les sea posible, pero el que decide la actitud con la cual la va a enfrentar es uno. En esto nadie puede intervenir.

Se podría tener la impresión de que el ser humano es alguien completamente e inevitablemente influido por su entorno. Pero ¿y qué decir de la libertad humana?, ¿no hay una libertad espiritual con respecto a la conducta y a la reacción ante un entorno dado? ¿Es cierta la teoría que nos enseña que el hombre no es más que el producto de muchos factores ambientales condicionantes, sean de naturaleza biológica, psicológica o sociológica? Podemos contestar a todas estas preguntas con base en la experiencia y también con arreglo a los principios. Las experiencias de la vida en un campo demuestran que el hombre tiene capacidad de elección... El hombre puede conservar un vestigio de la libertad espiritual, de independencia mental, incluso en las terribles circunstancias de tensión psíquica y física[21].

Al hombre se le puede arrebatar todo lo que tiene, salvo una cosa: la última de las libertades humanas —la elección de la actitud personal ante un conjunto de circunstancias— para decidir su propio camino. La actitud de cómo enfrento la vida, que es mía y de nadie más. Todo lo demás me lo pueden quitar con manipulaciones o a la fuerza, pero nadie

---

21 Frankl V., *El hombre en busca de sentido*, Barcelona, Herder, 1991,

me puede arrebatar la libertad interior, nadie puede acceder a ella directamente, es mía, solo mía. En ese campo de concentración, según Frankl:

> [...] había ocasiones para elegir. A diario, a todas las horas, se ofrecía la oportunidad de tomar una decisión, decisión que determinaba si uno se sometería o no a las fuerzas que amenazaban con arrebatarle su yo más íntimo, la libertad interna; que determinaba si uno iba o no iba a ser el juguete de las circunstancias, renuncia a la libertad y a la dignidad para dejarse moldear hasta convertirse en un recluso típico[22].

He aquí que la decisión adquiere todo su poder. No somos títeres de nadie, puesto que decidimos la actitud última frente a la vida. Esto lo tenemos que hacer más consciente para no dejar que nada ni nadie juegue con nuestro proyecto de vida. A veces adquirimos una posición de víctima que nos hace sufrir, responsabilizando siempre a los otros, creyendo que son ellos los que deciden nuestra actitud ante la vida. Y no es así. Tú y yo decidimos qué hacer en últimas con nuestra propia historia, cómo vivir cada una de las circunstancias que nos llega, que creamos o que otros nos imponen. Somos libres para decidirlo, tenemos ese poder.

Valdría la pena que te hicieras aún más consciente de esto y que no dejaras que esas circunstancias que te están rodeando te determinen y te destruyan. Eres tú el que decide

---

22 Ibíd., p. 71.

va mucho más allá del goce que produce conseguir lo que está ausente, es también gozarnos lo que está presente hoy. Es decir, no se puede construir la felicidad solo sobre la base de la ausencia, de lo que no tengo, sino que también habrá que entenderla desde el goce de lo que tengo, puedo y soy[24].

24 Comte-Sponville A., op cit, pp 37-52.

Capítulo 5

Cada decisión construye
un mundo distinto

Les he insistido a lo largo de este texto que las decisiones tienen el poder de generar nuevas experiencias y, de esa manera, nuevas historias, nuevos mundos. Es el sí que le dijiste a tu esposo el que generó todo este mundo en el que vives, esta historia en la que estás relacionándote, con sus bemoles y sus aristas. Todo comenzó con una decisión efectiva, con la puesta en marcha de un plan de acción de tu parte.

El concepto de historia nos deja claro que no es solo nuestro mundo, sino el mundo en el que compartimos con los otros. Estamos en relación con ellos a través de una maraña de interacciones. Ese mundo que creamos, del que participamos con nuestra decisión, es compartido con otras personas, que también han tomado sus propias decisiones. No es solo mi mundo, es nuestro mundo. Porque, como veremos más adelante, nuestras decisiones implican a los otros y nosotros estamos implicados en la decisión de los demás.

En el momento de la toma de decisión estoy ante diversas opciones, diversos caminos y, de alguna manera, diversos mundos. Cada posibilidad es un mundo distinto, uno que será y otros que nunca serán. Solo en el primero puedo participar como actor, en los otros solo soy un espectador que especula. Por eso cada decisión es también la renuncia a otros mundos distintos al mío y con los cuales debo saber relacionarme. ¿Cómo puedo relacionarme con esos mundos posibles que no existen en la realidad, sino que solamente existen en nuestra mente?

1. *Algunos se relacionan con ellos a través del deseo*

Es decir, se pasan la vida deseando el mundo que ya no fue, al que renunciaron en un momento concreto. Y lo hacen desde la idealización de ese mundo que no fue.

Cuando se compara una idealización con una realización, es obvio que la idealización va a resultar ganando porque no tiene los errores, los defectos, las debilidades ni la imperfección que tiene la realidad que los humanos construimos. Al soñar no añadimos problemas a esos sueños.

Cuando fantaseo con mi vida de casado, en lugar de ser cura, desaparecen mis problemas y aparece frente a mí una vida idealizada, con una esposa abnegada y perfecta, unos hijos maravillosos y un estado de vida casi que congelado en el final de los cuentos de hadas: "y vivieron felices". No me imagino sufriendo para pagar los recibos, ni cómo sería una cantaleta de mi esposa, ni los problemas de relación que hubiesen aparecido, ni pienso en la historia que dejó de ser con gente que significa mucho para mí. Lo que hago es sumar solo lo bueno de la fantasía, con lo bueno de mi vida real. Pero esa vida no ha existido, no va a existir y, si existiera, no sería perfecta.

Resulta más fácil construir la felicidad en la imaginación que construirla en la realidad, en el mundo que genero con mis decisiones. Por eso, muchos viven queriendo estar en el mundo que no existe y que no podrán tener. Dice la señora: "Padre, si yo no me hubiera casado con Juan, sino con Luis, seguro la vida sería totalmente distinta". Y me toca decirle: "Sí, mi señora, sería totalmente distinta". Pero eso no significa que fuera mejor o que no tuviera dificultades y problemas. De alguna manera, como ese mundo de pareja y de familia con Luis solo existe en la cabeza de la señora que sueña, no tiene defectos ni problemas, porque cuando se idealiza no hay fallas.

No es muy justo comparar la realidad con ese ideal que tienen en la cabeza y que ni siquiera saben si es verdaderamente posible. La historia que no fue se puede construir en la fantasía con los matices que uno quiera, sin que nada pueda quitarle peso a esa posibilidad de realidad, pero no fue realidad y ahí está la diferencia.

2. *Algunos se relacionan con ellos a través del lamento*

Esto genera una actitud de frustración, de tristeza, de aburrimiento frente al mundo que sí se tiene y en el que se debe vivir. En vez de gozar las características del mundo en el que se encuentran y en el que se están realizando terminan lamentándose y queriendo no vivirlo.

Se olvidan de todas las motivaciones que tuvieron al elegir ese estado, esa vida, esa realidad que ahora ya no les parece fundamental en su vida. La rutina diaria nos hace desdibujar las motivaciones que se tuvieron para haber tomado esa decisión, y, claro, en esa situación lo normal es que "hiperidealicemos" lo que no tenemos.

Es como si yo ahora, después de veinte años de vivir el presbiterado, comparara mi actual cotidianidad con el ideal de un matrimonio perfecto con una mujer que solo existe en mi cabeza. Seguro que en ese ideal ella sería perfecta y no me traería ningún problema; seguro que en ese ideal nunca

tendríamos ningún inconveniente y si lo tuviéramos lo solu-
cionaríamos perfectamente. Pero bien sabemos que eso no
es real.

La sensación de "Cómo sufro yo", "Qué de malas soy",
está unida casi que inseparablemente a la sensación de engaño y frustración con respecto al otro; es decir, es de los
mismos creadores de "Mi mujer me salió mala", "Este no es
el tipo con el que yo me casé". No se reconoce la responsabilidad de los propios errores, sino que se victimiza uno
mismo. No encuentra en los otros y en las relaciones que
entablé con ellos un principio de realidad desde mis búsquedas, sino que se deja todo a la irrealidad para quejarme del
azar supuesto.

Esta victimización no busca producir resultados, trata
de paliar la conciencia; como algo que me grita que mi vida
no funciona como debería, que no me siento bien, que estoy
frustrado o decepcionado de la historia que vivo. En vez
de hacer algo para cambiarla, de generar un plan de acción
que implica una conducta de trabajo con respecto a lo que
hago y a mis relaciones, me quedo con la fantasía de la justificación. Como si bastara con esa reinterpretación de mi
realidad desde ser víctima, ser de malas o ser engañado.

3. *Algunos se relacionan con ellos revisándolos para reafir-
   marse en el mundo en el que están y que ha sido posibilitado por su decisión*

Esto es fundamental para la salud mental. A diario tenemos que buscar la manera de autoafirmarnos en lo que
somos y hacemos. No podemos pretender ser sanos si no
aceptamos y amamos lo que somos y estamos construyendo.

Si miro el otro mundo posible que tenía frente a mí en el momento de la decisión y al cual renuncié no es para desearlo y sufrir por no tenerlo, sino para ser capaz de reafirmarme en la relación. Si no lo elegí fue por algo y vale la pena que ahora eso quede claro de nuevo, no fue una decisión ingenua, fue una decisión cargada de argumentos y si estos no han desaparecido es probable que se hayan transformado, pero siguen estando presentes. No deje que sus deseos idealizados le nieguen la posibilidad de reconocer las buenas experiencias de su vida actual.

Descubra qué quería al tomar la decisión que tomó, qué perseguía, qué estaba tratando de generar. Tenga claro que por más que se haya alejado de esa idea, también hay muchas satisfacciones en su historia. No es que no se haya equivocado al escoger pareja y que esa persona maltratadora sea lo mejor que le ha pasado. Pero esta pareja incluso le ha traído a su vida unos buenos momentos, le ha dejado unos hijos, le ha permitido aprender, lo ha hecho más fuerte y resistente a los embates de la vida. No todo es malo, hay cosas rescatables.

Así es como debes aprender a relacionarte con tu propia historia, incluso la errática, porque de todo siempre hay algo bueno. Como diría mi madre: "No hay mal, que por bien no venga".

ASUMAMOS LAS CONSECUENCIAS DE NUESTRAS DECISIONES

Nos damos cuenta de que estas maneras de relacionarse expresan actitudes existenciales muy concretas para nuestra manera de vivir. Esto nos propone actitudes que son fundamentales para asumir las consecuencias de nuestras decisiones hoy:

1. Disfrutar el mundo que mis decisiones me han creado

No podemos ser pesimistas ni triunfalistas frente a nuestra propia vida. Tenemos que ser capaces de ser realistas y disfrutar de lo que somos y tenemos en nuestras relaciones y trabajos.

No se trata de despreciar lo que estamos viviendo hasta el punto de salirnos de la realidad, ni mucho menos idealizar hasta el punto de negar las situaciones en las que estamos inmersos. Hay que ser realistas, asegurarnos de que tenemos los pies en la tierra y de que conocemos la realidad en la que estamos y somos capaces de valorarla juiciosamente.

Por difícil que sea la situación en la cual estás, siempre hay muchas variables positivas y valiosas. Has creado un mundo con tus decisiones inteligentes y responsables, y debes disfrutarlo y seguir construyéndolo. A veces es muy aconsejable sentarse a escribir todo lo bueno que tenemos en nuestro proyecto de vida y tratar de enfocarnos en esas experiencias magníficas que hemos tenido oportunidad de elaborar. No podemos caer en la trampa de ver solo lo negativo, que seguro es mucho menos de lo que nuestra hiperbólica mirada ha visto y señalado.

Debemos generarnos visiones equilibradas de nuestra propia historia. Comencemos, por ejemplo, a suprimir las evaluaciones terribles. Nos encantan los extremos, juzgar las cosas como muy malas o muy buenas, como fatales o espectaculares, cuando en realidad pueden ser buenas, malas o normales. Esas evaluaciones fatalistas pecan por exceso o por defecto en cualquier circunstancia. Aprendamos a evaluar la vida con tranquilidad, sin dejarnos llevar por esos tintes de exageración que son buenos en la narrativa, pero que distan mucho de la realidad.

Dejemos también de tener una visión evaluativa de nuestra realidad, basados en el deseo de pasar en rojo. Está bien saber que la vida no es perfecta, que no va a serlo en ninguna realidad. Pero si tienes que alcanzar 100 y logras 95, no te quedes llorando por los cinco que faltaron; no comiences a decirte: "Es que estaba tan cerquita, si me hubiera esforzado más…". Eso no te ayuda, no te hace feliz, porque siempre habrá una distancia entre ideal y realidad. Gózate los 95, sé feliz con el logro de arrancar de cero y construir tanto. Claro, entiendo que quieras más, que busques más, pero no apoyo que te cercenes el derecho a una evaluación justa y a una recompensa por tu logro.

2. *Puedes mejorar el mundo que tus decisiones han creado*

Todo es dinámico y por lo mismo todo cambia. Siempre podemos mejorar a través de nuevas decisiones-acciones el mundo que hemos creado. Si lo aceptamos y lo disfrutamos no es para negar lo que no está bien en él, sino para comprometernos en hacerlo mejor.

Hay que estar en constante autoanálisis y decidir qué es lo que se puede hacer para que las cosas tengan más sentido. Se necesita realismo para darse cuenta de que algo no está funcionando y valentía e inteligencia para decidir mejorar.

No podemos esperar que las situaciones cambien por arte de magia o por acciones externas, debemos hacerlas cambiar nosotros mismos o generar las condiciones para que cambien.

El miedo al cambio es una de las actitudes que más nos perjudican en la vida porque terminamos acostumbrándonos,
sufriendo calladamente el mundo que hemos creado con
nuestras decisiones, pudiendo tomar la decisión de hacerlo
cambiar a través de nuestra acción directa.

Algunas veces toca decir "me equivoqué en mi primera
decisión y no puedo continuar con ella". Es posible que uno
tenga que tomar una decisión que niegue la primera. Eso no
lo hace a uno fracasado ni lo convierte en alguien poco serio
e irresponsable, sino, al contrario, lo hace alguien consciente de lo que está viviendo y buscando. No tengo miedo a tomar un nuevo camino. Tengo miedo a quedarme sin ganas,
sin sentido, en el mismo camino que no conduce a donde
quiero ir únicamente por el miedo que produce el cambio.

Partir de la afirmación y no de la negación te abrirá caminos de posibilidades. Toda realidad humana es susceptible de cambio y mejoría, pero eso no sucede si no hay piso
de realidad desde el cual partir. El piso es lo que hay, tal
como lo hay; el trabajo será convertirlo en lo que quiero y lo
que puede ser. Porque también hay que comprender que hay
situaciones humanas en las que no puedo esperar más crecimiento, porque ya he encontrado el rendimiento máximo.

En este último caso, no ganamos nada intentando forzar
la realidad, hay que aprender a aceptar que hay limitantes
y que por más voluntad que exista no puede cambiarse ese
hecho.

Si yo quisiera adquirir más destrezas para jugar al tenis,
algo que aprendí ya adulto, hace muy poco tiempo, tendría
que saber que mi cuerpo ya no puede correr, responder y
rendir como hace veinte años. Incluso, no sé si en esos años

habría estado en forma como para competir a nivel profesional. Lo que sí tengo claro es que hago lo mejor que puedo, que intento aprender más, que quiero ser un poco mejor cada día. Pero debo ser consciente y responsable con mis condiciones actuales y las limitantes que tengo al respecto, no para amargarme y sentirme frustrado, sino precisamente para todo lo contrario.

3. *Puedes reafirmar el mundo que tus decisiones han creado, con nuevas decisiones*

En ocasiones no se quiere cambiar ese mundo, pero para que se sostenga es necesario decidir, actuar. Las decisiones tomadas en el pasado tienen que ser refrendadas por nuevas decisiones, que tienen que ser coherentes con aquellas.

Muchas veces pretendemos un *statu quo* mágico, y eso no es posible. Cuando no sostengo las decisiones anteriores con nuevas decisiones es muy probable que todo cambie para mal, esto es que se desmejore. En mi vida, en más de una ocasión he tenido que volver a decidir a favor de mi proyecto de ser presbítero.

No solo tomé una decisión el 26 de enero de 1986, cuando entré al Seminario, sino que en varios momentos de la vida la tuve que volver a revalidar con otras decisiones, como el 7 de febrero de 1993, cuando me incorporé, para vivir y morir, en la Congregación de los Padres Eudistas, o cuando me arrodillé delante del obispo monseñor Eladio Acosta para que por la oración consagratoria me confiriera el orden de los presbíteros. Ten la certeza de que también volví a decir sí cuando aparecieron las crisis, las preguntas, las tentaciones y tuve que reafirmarme en mi decisión de hacer mi proyecto personal en este estilo de vida. No fue que hubiera decidido allá y ya todo hubiera quedado listo. No. Es una decisión que hay que estar revalidando constantemente.

Creo que lo mismo te pasa a ti en tu relación de pareja. Todos los días —sobre todo en los momentos más difíciles— es necesario volver a decir que sí y volver a amar a esta persona que te ha elegido y que tú has elegido. Lo mismo podría decir en todos los ámbitos de la vida, son decisiones que se van refrendando todos los días. No hacerlo implica asumir que se puede destruir totalmente todo lo que decidí hacer en un momento de la vida.

4. *Tengo que aprender a vivir en medio de la originalidad*

Sé que es muy complicado ser original en un mundo que todos los días busca homogeneizarnos. La moda, las nuevas tecnologías, los medios de comunicación son una constante invitación a que nos parezcamos a los otros, a que abandonemos nuestros itinerarios de vida y sigamos los de los demás, siempre con la ilusión de que seremos mejores y más felices.

Por eso no es extraño que muchos estén tratando de hacer que su mundo se parezca al de los otros y cada día tomen decisiones que se apartan de sus valores, de su manera de pensar y sentir pero que los acercan al imaginario colectivo. El mundo que he creado no tiene por qué ser igual al del otro. No es mejor ni peor. Es mío y lo comparto con los que han decidido hacer su proyecto de vida al lado mío o emparentado con el mío.

Esto supone comprender que muchas decisiones nos pueden apartar del paradigma reinante, de lo que todos quieren y buscan, y que eso no nos hace infelices sino que nos hace captar nuestra propia originalidad.

Algunas veces me encuentro con los amigos de infancia. Ellos están casados, tienen sus hijos y me proponen conversaciones en las que expresan sus sueños y sus ilusiones. Evito estrictamente compararme con ellos, entrar a comparar nuestros mundos y a pensar qué hubiera sido de mí si... Entiendo que ese mundo es inexistente y que construirlo en mi mente me impediría gozar de lo que tengo.

Compararse obsesivamente hace daño. Creer que todos debemos tener el mismo proyecto y que nuestros escenarios de vida tienen que ser iguales es muy dañino para nosotros. Me gusta comprender que cada uno tiene sus propios deseos, sus propios sueños, que no son los mismos míos y que no me perjudica si se realizan.

Tenemos que evitar esa costumbre de la sociedad de andar comparando los proyectos de vida, para hacer sentir a unos bien y a otros mal. Vivir en el pudo ser, en el si yo hubiera, en el tal vez... lo único que hace es llenarnos la vida de razones para no disfrutar lo que sí fue, lo que sí hice y lo que tengo en mi vida.

Aprovechemos el poder de las decisiones

Es necesario que todas estas actitudes las complementemos con dos operaciones existenciales muy necesarias para aprovechar, de la mejor manera, el poder que tienen las decisiones.

1. *Descubrir dónde y cuál es la decisión más importante de mi mundo*

No todas las decisiones son fundamentales para nuestra vida. No todas tienen la misma importancia, como ya lo dije anteriormente.

Es necesario saber qué es lo fundamental en mi vida. Qué es lo que no podría no estar en mi vida. Me refiero a esas decisiones que implican realidades que no estaría dispuesto a negociar. Es muy importante precisar bien cuáles son estas decisiones-realidades. No creo que deban ser muchas, porque corremos el riesgo de pelear a muerte por tantas cosas y entonces la vida se volvería estresante y peligrosa. Deben ser pocas, bien organizadas y concretas, ya que de ellas depende mucho el sentido de la vida.

Muchas veces, y desde una cristología que comprende a Jesús desde su historia terrena hasta su resurrección, me he preguntado por qué se dejó crucificar Jesús de Nazaret. Él hubiera podido negar toda su predicación, todas las opciones existenciales que había hecho y decir que no lo volvería a hacer, y seguro no hubiera muerto crucificado.

Creo que no lo hizo porque lo que estaba en juego era su "no-negociable". Lo que rechazaban de Él y lo hacía un blasfemo, un agitador en contra del orden establecido, era lo que Él consideraba "no-negociable". Esto es, su relación con el Padre Dios, los valores del reinado de Dios, el defender al débil, al pobre, al marginado, el no dejar que la religión fuera solo hacer actos de piedad; todo esto no era negociable para Él.

Si Él negaba eso, negaba el sentido de su vida. Eso hace que no dé un paso atrás, que sea capaz de enfrentar la muerte y la muerte en una cruz[25], asumiendo todas las consecuencias. Él no está dispuesto a negociar lo que considera fundamental en su vida. Digámoslo en estas palabras: su opción por Dios como *abba*[26] y por los hombres como sus hermanos es fundamental, no permite ser negociada. Es esa decisión la que permite que se estructure todo su proyecto.

¿Qué es lo "no-negociable" en tu vida? ¿Cuál es la decisión fundamental de tu vida? Al tener claro esto, tienes claro también los pasos que debes seguir, las decisiones que la tienen que sostener.

Algunas personas me dicen que lo fundamental en su vida es la familia, que la decisión más importante que tomaron fue la de construir una. Pero va a ver uno la cotidianidad y lo que encuentra son pequeñas decisiones que en nada favorecen a la familia y que más bien amenazan seriamente su existencia.

No les puedo creer que esa sea su opción fundamental. Si lo fuera, toda su vida diaria estaría a favor de esa realidad,

---

25 Morir en la cruz era lo peor que le podía pasar a un ser humano. No solo por la crueldad de la forma, sino porque tenía un significado demasiado humillante para el crucificado. Por eso la cruz es maldición para los judíos y locura para los griegos (1 Corintios 1,18)

26 Palabra aramea usada en el contexto familiar —más exactamente en la relación padre-hijo— que expresa una relación de cercanía e intimidad. Jesús llama a Dios "abba", expresando con ello su total intimidad con el Padre. Esta expresión era la que usaba el niño balbuceante al estar en el remanso de su padre. Algunos la traducen como "papito", "pa".

de ver cómo cada día se fortalece, crece y se hace un espacio de realización.

Si la familia es tu opción fundamental, entonces le dedicas tiempo, abres espacios de comprensión, te esfuerzas por compartir y solidarizarte con las búsquedas de los miembros de tu familia, eres capaz de vivir el perdón y de luchar decididamente por sacarla adelante.

Algunos plantean como opción fundamental la felicidad, pero no tienen claro qué es exactamente lo que llaman felicidad. A veces la confunden con el placer por la satisfacción de los sentidos o con una experiencia totalmente emocional, olvidando que la felicidad pasa por la homeostasis, por la armonía con la que se puede vivir.

Me gusta el comentario de Slavoj Zizek en torno a la felicidad, en cuanto que no sabemos realmente lo que deseamos. "El esposo que tiene una amante quiere que su esposa desaparezca para gozar la relación con su amante, no sabiendo que cuando desaparece la esposa, también desaparece la amante"[27].

Mucha gente confunde la felicidad con un ideal de placer constante o de la buena vida y no se descubre feliz. Puede ser que haya personas que son felices y no se han percatado de ello, porque confunden la felicidad con el estado de alegría permanente. Ese tipo de personas, cuando se enfrentan a situaciones difíciles que les borran la sonrisa de su cara, declaran una ausencia de felicidad en su vida.

Daniel Nettle afirma que cuando una persona dice que es feliz con su vida normalmente no quiere decir de manera literal que esté alegre o experimentando placer durante todo el tiempo. Lo que quiere decir es que al hacer el balance de placeres y dolores, considera que a largo plazo el resultado es razonablemente positivo. Esto es lo que muchos psicólogos llaman el sentido de la felicidad. No se refiere tanto a los sentimientos como al juicio sobre el balance de los sentimientos[28].

Insisto, lo importante de tener clara la opción fundamental es que se pueden organizar desde ellas las demás decisiones-actuaciones que tenemos. Aquí es importante resaltar el momento en el que tomo esa decisión fundamental. Debe ser tan clara esta decisión que debemos ubicarla, históricamente hablando.

2. Tener un ideal, un objetivo general de la vida

Tienes que saber cuál es el mundo que quieres construir con tus decisiones. No se toman decisiones, como lo explicamos anteriormente, sin la referencia al futuro, a la consecución de objetivos y la realización de unos planes, siempre hay que tener claro hacia dónde quiero ir, cuál es el mundo que quiero construir.

Aquí hay que tener presente que debe ser un ideal con las siguientes características:

- *Trascendental.* No puede ser un ideal que se agote en la realización de dos o tres actividades, sino que tiene que

---

28 Nettle D., *Felicidad: la ciencia tras de la sonrisa*, Ares y Mares, Barcelona, 2006.

trascender a las dimensiones del hombre y responder a su totalidad, a su integralidad. Es un ideal que responde por el sentido del hombre y no por la satisfacción de una u otra necesidad muy puntal.

- *Alcanzable.* Todo ideal tiene que tener unos nexos claros con la realidad. No es una quimera, no es un sueño imposible, sino una realidad que puede ser alcanzada por los recursos que tengo y estoy desarrollando. Un sueño imposible de alcanzar frustra, deprime y no permite crecer. Se necesita mucho realismo a la hora de diseñar nuestro ideal de vida.

- *Solidario.* No puede estar aislado de los demás, no podemos pretender que tenga que ver con nosotros solamente. La vida es siempre un evento social, siempre estamos conectados con los demás y es con ellos con los que queremos ser felices. La felicidad sin los otros no es felicidad.

- *Concreto.* Puede desglosarse, se sabe de qué se trata. Hay que tener cuidado con esos ideales que son tan generales y tan densos que no se pueden concretar en nada y por lo mismo terminan no sirviendo para nada en el proyecto personal de vida.

Si se tiene claro cuál es el ideal entonces se tiene que tener claro qué tipo de decisiones se necesitan para alcanzarlo. No llegamos allá si no tomamos el camino correcto, y eso es una decisión importante. ¿Qué tipo de decisiones

Capítulo 6
Asumir las decisiones

...Víctor Frankl está convencido de... puede quitar la posibilidad de decidir... actitud enfrentamos la vida. Los otros... tan difícil como les sea posible, pero... medio en la cual la va a enfrentar es uno... intervenir.

Se podría tener la impresión de... quien completamente e inevitab... entorno. Pero ¿y qué decir de la... hay una libertad espiritual con... reacción ante un entorno d... que nos enseña que el hombre no... de muchos factores ambientales... naturaleza biológica, psicológica... contestar a todas estas preguntas... cia y también con arreglo a los... rias de la vida en un campo de... tiene capacidad de elección... E... un vestigio de la libertad esp... mental, incluso en las terribles c... psíquica y física".

Al hombre se le puede arrebatar... la última de las libertades... de la actitud personal ante un conju... para decidir su propio camino. La ac... vida que es mía y de nadie más... puede quitar con manipulaciones o...

Ya hemos dicho que la vida es un cúmulo de decisiones que hemos ido tomando. Pero no todas las hemos tomado bien. Algunas pertenecen a esa posibilidad de error que acompaña a nuestra humanidad. Siempre que nos enfrentamos a una decisión, nos acompaña de cerca la posibilidad de estar equivocándonos. No tenemos nunca la garantía de que la decisión que tomamos o hemos tomado es la mejor y la correcta. Siempre hay una duda latente. Es más, quisiéramos tener algo que nos certificara que no nos estamos equivocando.

Por más que seamos estudiosos, por más años vividos, por más análisis que hagamos de la realidad, así seamos gente brillante, espiritual, disciplinada, incluso perfeccionista, vamos a enfrentarnos a la posibilidad de equivocarnos al elegir.

Y esa posibilidad de errar nos acompañará a lo largo de nuestra vida. No hay un momento en el que ya seamos tan buenos, tan sabios o tan iluminados que siempre tomemos la decisión correcta. Esa es una fantasía que ocurre en nuestra mente al soñar mundos perfectos, pero en la realidad, en la urdimbre de la existencia, eso no sucederá jamás. Siempre estamos en el filo de la navaja entre acertar y fracasar. Y algunas veces no acertaremos, fallaremos, nos equivocaremos y eso no nos hace "malos", ni "inútiles", sino solo seres humanos.

El hecho de ir adquiriendo mayor conciencia, de tomarnos más en serio las pequeñas o las grandes decisiones, nos ayuda a equivocarnos menos, pero jamás a suprimir el error de nuestra vida. Porque antropológicamente estamos abocados al error; no nacimos para errar, que es distinto, pero sí caminamos en medio de los errores.

Las decisiones equivocadas que tomamos nos enfrentan a nuestra debilidad, al hecho innegable de nuestra imperfección. Así que cuando te enfrentas a la decisión, se activa en tu mente el mecanismo ansioso. La ansiedad es la emoción del futuro que se pregunta, casi siempre desde tremendismos, qué será de mí si escojo esto o aquello.

Y quisiera abrir un pequeño paréntesis para explicar esto del tremendismo, que también es una tendencia muy humana a poner todo en términos de evaluaciones superlativas, es decir, o muy buenas o muy malas, las decisiones o las consecuencias de lo que vamos a decidir. Y las preguntas de la ansiedad, como: "¿Qué pasará conmigo si hago esto?", casi siempre encuentran respuestas desde lo exagerado. Casi siempre son preguntas que nos hacen creer que estamos ante la catástrofe más grande o lo más apoteósico.

Supongamos que tenemos una entrevista de trabajo. Las preguntas de la ansiedad comienzan: "¿Y si no me va bien?", "¿Qué tal que no le guste al entrevistador?", "¿Y si me equivoco al contestar?", "¿Y si me voy mal vestido para la ocasión?". Las respuestas vienen enseguida: "Me quedaré sin trabajo toda la vida", "Es que yo soy muy de malas", "Es que nunca me va bien en estas cosas", "No sé qué hacer, sona y voy a perder mi tiempo". Mientras más respuestas tremendistas, más preguntas ansiosas y más comportamientos equivocados en el desempeño. A mayor generación de miedo, mayor posibilidad de equivocarnos. Creo que aquí está la razón para que se repita tanto una de las frases de Dios a los hombres: *No temas*[29]. Si dejamos que el temor se apodere de nuestro corazón, nuestras decisiones estarán más cerca de llevarnos al fracaso, porque muy probablemente no podremos comprender la realidad tal cual es, sino que la captaremos, la distorsionaremos con nuestros miedos.

Hay que aprender a manejar esta emoción de la ansiedad, respondiendo a las preguntas, pero haciéndolo sin extremos: "Bueno, sí, puede que me vaya mal, pero igual lo intentaré", "Si no consigo este trabajo, seguro que habrá otro para mí". Al contestar esas preguntas, comienzo a sentirme seguro, podré dominar mejor mi miedo a equivocarme y estaré también más lejos del error automático. Tendré la oportunidad de comprender mejor la realidad y de esa manera poder decidir y actuar mucho mejor.

Es claro que nunca vamos a andar por un camino ciento por ciento seguro, pues toda decisión es una apuesta existencial, es un salto hacia aquello que no está en lo seguro, sino en lo posible. Y en lo posible también se esconden el error, el fracaso, la pérdida. No podemos dejar de actuar

---

29 Juan 6, 20; Deuteronomio 1, 29; Salmo 56, 11. Considero que en esta posibilidad que me da Dios de comprender la realidad sin miedo hay una clave muy importante a la hora de tomar decisiones. Creo que es fundamental vivir una experiencia espiritual que me haga tener menos miedo en la vida y así permitirme tomar mejores decisiones.

por la posibilidad del fracaso porque eso sería como quedarnos petrificados y no movernos nunca, ya que siempre tendremos esa posibilidad en nuestra condición. Es decir, no por miedo a perder vamos a dejar de vivir. Como diría un analista de fútbol: "No arriesgar es la peor forma de arriesgar". Sin embargo, podremos manejar mejor nuestra actuación si bajamos los niveles de desconcentración y de miedo que se producen como efectos secundarios del pensamiento ansioso no controlado.

De otro lado, saber que hay factores emocionales que no controlo a nivel consciente es bien importante. ¿Cuándo me nacen los miedos? ¿Cuándo llegan los estados de alteración y las manifestaciones de hechos traumáticos del pasado que se activan por una situación, una frase, un gesto de alguien o una palabra? Todo eso puede influir para que pierda el control de la situación y tome decisiones equivocadas. Por ejemplo, cuando en un momento de ira tienes un secuestro emocional y haces cosas que no deberías hacer, tomas decisiones que no están guiadas por la razón, dices cosas, destruyes, ofendes, humillas, maltratas, guiado por impulsos que no son racionales, pero que en lo práctico son decisiones que tomas con respecto a tu vida y la de los otros.

En esos estados de descontrol emocional en el que sueltas la ira y lastimas a personas que son valiosas e importantes para ti estás decidiendo el futuro de tu relación con ellas. Aunque no lo veas, aunque no tengas conciencia de que tus palabras, pueden estar estableciendo una huella imborrable en el otro. Por esto necesitamos, cada vez más, ser dueños de nosotros, de lo que somos y de lo que queremos llegar el resentimiento, los celos, los odios aprendidos, las frustraciones o las cerrazones nos lleven a lugares en los que no queremos estar. Decidir impulsados por estos factores emocionales es una manera de ir fijo al lugar equivocado.

Los seres humanos no podemos escoger nuestras experiencias. Ellas aparecen en un momento que no se ha calculado, que no se ha previsto y pueden causar sentimientos negativos que nos ponen el ánimo por el suelo, o también pueden causar alegría, llenarnos de satisfacción. Las experiencias escapan a nuestras posibilidades, no las podemos manipular, mucho menos podemos comprarlas, así que no dependen de cuánto dinero tengamos. Ellas generan emociones que nos llevan a actuar de una forma no imaginada. Lo que sí tenemos los seres humanos es la capacidad de decidir sobre las actitudes que podemos tomar frente a las diversas experiencias y las emociones que se crean con ellas. El control sobre la forma como actúas frente a esas experiencias sí es una posibilidad que está en tus manos[30].

En la Biblia, me gustan las actitudes de dos personajes que, ante sus experiencias negativas, toman decisiones diferentes. La primera la encontramos en la figura de Judas[31], que después de haber entregado al maestro, compró un terreno con el dinero que le dieron, cayó de cabeza, su cuerpo se abrió y se le salieron las entrañas. Nos parecerá horrible la forma como Lucas narra la muerte de Judas, pero el suicidio fue su decisión ante su experiencia de dolor por haber

---

30 Maxwell J., *El lado positivo del fracaso*, Grupo Nelson, Nashville, Estados Unidos, 2008.

31 Cfr. Hechos de los Apóstoles 1, 16-18.

entregado a Jesús. No fue capaz de soportar el error, el fracaso de su decisión y prefirió suicidarse. El otro personaje es Pedro[32], el que negó al Maestro tres veces. Lucas nos dice que en el patio de la casa del sumo sacerdote, la tercera vez que lo negó, el Señor se volvió y miró a Pedro; este recordó lo que le había dicho el Señor: antes de que cante el gallo, me habrás negado tres veces. Entonces salió y lloró amargamente. Pero aunque Pedro era consciente de que le había fallado a su Maestro, las consecuencias de esa experiencia negativa no lo llevaron a tomar una decisión equivocada, sino que las asumió con esperanza y se dedicó el resto de su vida a anunciar a un Cristo que había muerto y resucitado. Su fracaso en ese momento no lo llevó a ser un fracasado en la vida sino, al contrario, fue alguien realizado. Estoy convencido de que todos somos y podemos ser como Pedro. Es decir, seguro que fallamos y nos equivocamos, pero podemos aprender de esta situación para ser mejores seres humanos, no darnos por vencidos y creer que todo está perdido. Siempre podemos sanar las heridas causadas y crecer en nuestra experiencia de vida.

No creo que alguien decida mal a propósito, pues por más equivocados que estemos siempre hay una búsqueda de felicidad y bienestar en lo que hacemos. La señora que se va a casar no escogió al hombre de su vida para que la haga sufrir, para que le dé una vida de perros, para que la maltrate, la humille o la haga sentir como la peor persona del mundo. Tampoco el que va a cine está pensando en decidir por la película más aburrida que haya en cartelera, para pasar el rato más soso que pueda haber. Ni el que quiere calmar su sed busca una bebida que le resulte repulsiva para poner la cara más horrible que pueda. O, mucho menos, el que va a invertir un dinero quiere buscar el negocio más malo para perder toda la plata y quedarse sin un peso.

En las decisiones, desde las más importantes hasta las más banales, todos queremos tomar la correcta, esa que nos sirve, que nos hace bien, que es saludable. Pero no siempre pasa. Algunas veces, descubrimos demasiado tarde que ese no era el tipo correcto, ni la película deseada, ni el sabor que esperábamos, ni el negocio oportuno. Eso lo sabremos después, con el paso del tiempo, ya que este nos permitirá evaluar aquello que decidimos.

Entonces es bueno tener en cuenta que así tengamos los años de Matusalén, la sabiduría de Salomón, la experiencia de Pedro o la sagacidad de Judas, podemos equivocarnos y escoger mal, ya sea por llenarnos de miedo, por terminar impulsados por emociones tóxicas, etcétera. Y eso no se nos quitará mientras vivamos en este mundo en el que nos movemos y existimos. Porque así es en nuestra humanidad. Esa es nuestra condición.

A todo esto sumémosle que algunas veces pretendemos vivir la vida que no vivimos, poseer los recursos que no tenemos, parecer lo que estamos lejanos a ser, mostrar que... decir que... actuar de... estando lejos de nuestra realidad, de nuestro piso existencial. Todos somos testigos de los errores que hemos cometido y visto cometer a otros, porque no sabemos distinguir entre realidades y proyecciones, entre lo que deseamos y lo que podemos. Como ese que se gasta en una rumba la quincena entera porque tiene la necesidad de impactar e impresionar a gente, a la que no le importa un comino él. Como el grito que le pegaste a tu pareja en público para mostrarte fuerte y gobernante, cuando en realidad estabas fracturando el amor y desestabilizando tu relación por un aplauso o una admiración efímeros.

Sin embargo, esto somos. No podemos negarnos a comprender que todas estas fuerzas nos habitan, nos mueven, nos violentan de vez en cuando. Esa posibilidad de error, tan humana, que camina entre nosotros es la que debería servirnos de excusa para estar atentos a lo que somos ahora. Sin castigarnos demasiado por los errores que nos van a acompañar, sin martirizarnos porque nos podemos equivocar, sin miedo que nos petrifique para entonces no fallar.

Necesitamos una conciencia profunda y fuerte de nosotros mismos y de nuestra capacidad-limitación al decidir, porque aprendemos, porque superamos, porque perfeccionamos esa competencia. Estoy seguro de que con el paso del tiempo y del ejercicio inteligente de la decisión, cada vez lo haremos mejor. Porque somos perfectibles, no perfectos, es decir, tendemos a hacer mejor las cosas con el aprendizaje, aunque nunca lo haremos de un modo impecable.

Y todo esto lo he dicho en relación con el futuro, porque es lo que se va afectar con el hecho de aprender. Sin embargo, quisiera dedicar unas líneas a pensar en el pasado, ya que en el transcurso de nuestra vida hemos tenido desaciertos en las elecciones a las que nos hemos enfrentado. Es más, podría decir que toda esta balada es para que aprendamos nuestro futuro, la evaluación puede ser más dura si la hacemos sobre las torcidas líneas del pasado.

Todos nos hemos equivocado a lo largo de la historia. Y nos ha costado sangre, sudor y lágrimas. Podemos, incluso, estar sufriendo todavía las consecuencias de alguna de esas decisiones erráticas. ¿Pero qué podemos hacer ya sobre lo que pasó? Creo que lo que tenemos que hacer, para avanzar saludablemente sin quedarnos anclados en las consecuencias de nuestras decisiones, es comprender y aprender.

Cuando uno se esfuerza por comprender las razones —o las no-razones— que lo movieron, no tiene que buscar justificarse, porque es muy probable que esa justificación, en el fondo, no sea otra cosa que una manera de negar el error y esconderlo bajo argumentos que, por muy fuertes y lógicos que aparezcan, lo único que hacen es no dejarnos aprovechar ese error, esa experiencia dañina, esa decisión equivocada para aprender. Tengo que comprender, y haciéndolo, seguro que aprendo mucho de esa experiencia.

Revisar mi historia y saber en qué punto exacto me equivoqué, de qué modo y con qué motivo, me tiene que ayudar a dos cosas: a tomar mejores decisiones en mi vida y a comprender mis propias decisiones del pasado. No se trata de ser un juez que inquiere con meticulosidad en la historia para castigarnos y hacernos entender lo culpables que somos, eso tampoco ayuda en nada para la buena salud. Se trata es de darnos cuenta de lo que hicimos, por qué lo hicimos y aprender para el futuro.

Comprender es ubicarse en el momento, en las circunstancias históricas, personales y tratar de precisar las razones que nos motivaron a tomar esa decisión y no otra.

Al analizarlas desde nuestro hoy —cuando ya hemos vivido las consecuencias de esas decisiones—, podemos darnos cuenta de dónde estuvieron los errores y por qué los cometimos. Constatar el error no debe generarnos un sentimiento de inferioridad o de menosprecio por nosotros mismos, ya que no somos los únicos que fallamos y nadie es perfecto. Siempre tenemos nuevas oportunidades. Insisto: constatar el error y sus consecuencias nos tiene que llevar a comprender el sentido de nuestra vida y a aprender de todas esas decisiones equivocadas que hemos tomado en el pasado.

Mi humanidad no es distinta a la de otros, no tengo por qué cargar con el peso de la perfección que me he autoimpuesto. Hacerlo me convertirá en un amargado que no encuentra en su propia historia motivos para sentirse orgulloso de lo que ha logrado. Y yo quisiera llamar la atención sobre lo siguiente: digamos que te has equivocado y lo has hecho constantemente. Yo diría, entonces, que eres alguien con una admirable capacidad de aguante, pues cada consecuencia y cada golpe de dolor, por más intenso que haya sido, no ha logrado acabarte y ese es un logro enorme. Pero estoy seguro de que así como ha habido errores, también hay muchísimos aciertos.

Algunas veces, obnubilados por lo negativo, se nos va olvidando que en medio de todo hay un equilibrio positivo en toda nuestra vida. Quisiera proponerte cuatro reflexiones sobre este tema.

1. *Necesitamos sanar nuestras decisiones del pasado*

Esto significa que no podemos echar el tiempo atrás. Sé que fantaseamos con tener una máquina del tiempo y haber escogido B, cuando en realidad escogimos A, pero eso es imposible. Hay que aceptar que nuestra vida es lo que es, gracias también a cada error que cometimos. De todo podemos sacar algo positivo, pero no lo haremos si no reconocemos las causas y las búsquedas que tuvo cada uno de esos errores. Es decir, esto me pasó porque estaba así y quería conseguir tal cosa. "Yo tenía rabia y quería desquitarme". "Creí que era un buen negocio y por eso invertí". "Deseaba encontrar pareja y esta persona me pareció que podía darme lo que quería".

Sanar no es actuar con pócimas mágicas, sino comenzar un proceso de curación. Es asumir con sinceridad, con serenidad, con generosidad las heridas que me he causado con mis decisiones, o que me han causado los otros con sus decisiones, sabiendo que en ellas hay una oportunidad de aprender a ser mejores. Vivir un proceso de sanación es vivir un proceso de aceptación de lo que somos y son los demás. Es entender que todas las heridas tienen una razón de ser, que aunque no estemos de acuerdo con ellas, nos pueden hacer crecer. Es ser capaces de armonizar el sentido de la vida incluso con esas situaciones que en principio son altisonantes y caóticas.

Para vivir ese proceso de sanación de nuestras decisiones del pasado no es que haya que repetir frases sobre el ayer para que todo sea distinto: eso sería mágico, y en la condición humana eso no es posible. Todo es proceso en la historia personal. A veces entendemos que se trata de eso, de repetir "Mi papá me amaba", y repetirlo una y otra vez, incluso sin creerlo. No. Se trata de ser capaces de comprender que a pesar de lo que hizo había unas razones que pueden explicar esta situación, y que aunque no las justifi can, sí nos permiten entenderlas con menos dolor.

Esa simpleza y esa superficialidad de repetir frases lindas sobre las situaciones del ayer no son las que nos ayudan. Lo que ayuda es tratar de encontrar razones: "Me amaba porque se sacrificó para que estuviera bien", "Me amaba porque nunca me faltó algo que estuviera en sus posibilidades darme", "Me amó porque quería hacerme buena persona y pretendía darme un futuro". Y así, aunque tengas con esa figura paterna muchas situaciones traumáticas, comprender que sus equivocaciones eran parte de su humanidad, de sus limitantes y de sus propios traumas te llevará a encontrar una verdad saludable para ti. Que a pesar de los maltratos que pudo darte, perseguía un fin positivo con métodos errados.

De igual forma, sanar tus propias decisiones parte de la comprensión de ti mismo, de lo que te estaba moviendo y lo que estabas buscando. Estudiaste la carrera equivocada porque tenías miedo de enfrentar a tus padres, pues perseguías a toda costa que estuvieran orgullosos de ti.

Te enrollaste con esta persona que no era la indicada, porque ya no querías estar solo y esperabas que en el camino las cosas se dieran de buena forma. Cometiste ese error y pisoteaste a algunas personas, porque creíste que así ibas a estar mejor y tendrías cosas que no tenías.

Todas esas situaciones humanas se sanan en un lento proceso de comprensión de quién eras y qué buscabas y, en esa medida, comprenderás las decisiones que tomaste y las que tomaron los otros que estaban a tu lado. Un proceso que debes empezar con prontitud.

2. Reconciliación con la propia historia

La vida no es un cuento de hadas, ni de príncipes azules y de "vivieron felices y comieron perdices". Eso no existe más que en la imaginación. Porque la existencia humana real está cargada de muchísimas vicisitudes, de problemas, de frustraciones y de conflictos. No hemos sido, no somos ni vamos a ser perfectos. Así es que tenemos que bajarle a la evaluación negativa de lo que somos.

Estamos viviendo en un mundo hecho fantasía por la televisión, en donde nos presentan series llenas de gente hermosa, rica, exitosa y divertida. Y uno mira su propia situación y se encuentra pobre, terriblemente pobre. Y ve millonarios, excentricidades, vidas perfectas en lo aparente... y uno se lo cree. El problema es que pasa la raya, se mira a sí mismo y descubre que es gordito, que no es tan lindo, que tiene problemas para pagar un recibo, que no tiene yate y que todo es difícil, incluso vestido a la última moda de París. Entonces aparece la dañina tendencia de hacer una evaluación peyorativa de sí mismo: "No sirvo para nada", "Soy un fracaso", "Con razón todo esto que me pasa", etcétera.

Es en esos momentos cuando miramos nuestra historia con un dejo de derrotismo para encontrar cada una de las razones de nuestra debacle. Así, en vez de reconciliarse con su propia historia, el ser humano de hoy tiende a mirarla con odio y resentimientos. Como si uno fuese un terrible accidente, lleno de infortunio y derrota como principales componentes, esos que definen la propia vida.

Por eso encontramos gente que se siente agobiada, decepcionada, desilusionada de sí misma; echándose una culpa peligrosa y cruel, de cualquier fracaso que es como una lápida que se ha echado encima y de la que resulta imposible levantarse.

Y resulta que esto no es así, no en esos términos. Claro que podemos habernos equivocado en el pasado, es muy seguro que tengamos cosas que pudiéramos haber hecho mejor, pero de ahí a que todo, absolutamente todo, sea un desastre, hay una diferencia enorme e importante. Reconciliarte con tu historia es aprender a reconocer que tu vida solo tiene sentido desde lo que has vivido en realidad. Que si le quitas una sola pieza a este rompecabezas, ya no se armaría igual.

Cada situación que has vivido te ha traído a este lugar en el que estás hoy. Andar negando tu vida no te llevará a nada; construir el pasado desde la negación que se disfraza de mentira —y viceversa— te restará la oportunidad de tomar todo esto como materia prima para comenzar a construir la vida que sí quieres.

Reconciliarte con tu historia tiene que comenzar con un proceso de aceptación. Desde aceptar a tus padres, los reales, esos que te defraudan en tantas cosas, pero que te soportan existencialmente en tantísimas más; aceptar tu historia, con sus bemoles, sus trabas y sus problemas, y también aceptar quién eres y cómo te ves. La aceptación es la puerta de entrada a un proceso real de sanación.

Después necesitas potenciar cada una de las realidades que forman parte de tu vida. No eres un buen deportista, porque el físico no te acompaña para eso, pero eres muy bueno generando estrategias de juego. No te sale mucho eso de bailar, pero puedes hablar muy bien. Tal vez no seas el más lindo del planeta, pero tienes una gracia especial que te hace resultar encantador ante los otros.

A eso que te parece poco, porque lo has visto con malos ojos durante mucho tiempo, hay que aprender a sacarle el jugo; a convertirlo en una fortaleza para tu vida, en una oportunidad para hacer la diferencia. Así, en vez de entenderlo todo como limitante, asúmelo como posibilidad. Conozco a muchas personas que al aceptar una falta de capacidad para ejercer una tarea han posibilitado su crecimiento en otras que les son propicias de un modo fácil.

Entonces, en lugar de quedarte quejándote y lloriqueando por no tener, ni poder, ni ser lo que deseas, comienza a descubrir lo que sí tienes, puedes y eres. Eso hace la diferencia entre los que triunfan y los que fracasan en serio. Reconciliarte con tu historia no es un hecho retrospectivo solamente, sino que tiene una tendencia de futuro muy importante, te abre nuevos caminos, hace que aparezcan frente a ti unas perspectivas que tal vez no habías visto hasta ahora.

La historia no es solo una serie de hechos conocidos del pasado. Es un conjunto de acontecimientos cargados de sentido y es en la captación de ese sentido de las situaciones que hemos vivido como consecuencia de nuestras decisiones que encontramos motivos para avanzar. Estoy seguro de que si le sacamos el máximo provecho a las situaciones del pasado, ellas nos pueden ayudar a crecer. Considero que a veces podemos ser muy duros con nuestra historia, eso nos hace tener una visión pesimista y nos cierra a las posibilidades del futuro. Debemos tener en cuenta el contexto en el cual tomamos una determinada decisión y no hacer juicios del pasado desde el presente, cuando ya sabemos las consecuencias que tuvo alguna elección particular.

A manera de conclusión de este capítulo, quisiera llamar la atención sobre el hecho de que los errores pueden convertirse para ti en barreras infranqueables, solo si así los asumes. Esta es una decisión que estás tomando. La incapacidad real no está fuera de ti, sino que convive en tu mente con tu extraordinaria capacidad de cambio, de renovación y transformación de tu propia realidad.

A nadie le regalan en esta vida sus triunfos, entonces no esperes que venga a tu existencia una persona salvadora que te saque del letargo en el que entraste. Tienes que sacudirte y echar hacia adelante, con la plena conciencia de que todo lo puedes lograr a partir de la creencia que tengas en ello mismo.

Nada será fácil, porque no es fácil la existencia; no alcanzarás metas valiosas sentado, sin esfuerzo, cargado en hombros. Todo objetivo de valor real requiere un proceso de preparación, una ejecución disciplinada y una fortaleza para admitir que no siempre todo sale bien.

3. Viviendo procesos de perdón

Asumir nuestras decisiones también supone que seamos capaces de perdonar y de perdonarnos. Es necesario comprender lo que nuestras decisiones causaron y darnos cuenta de que debemos perdonar. Me gusta entender el perdón como la recuperación de la paz perdida por una decisión/ acción. Se trata de eliminar el dolor que la herida causa para así poder recordar sin afligirnos. Es una emoción y a la vez una decisión. Soy de los que creen que no se debe esperar tener el sentimiento de paz para perdonar, sino que se debe decidir perdonar y así empujar, con la decisión, el estado de ánimo de paz que estamos esperando. Es una experiencia personal que se expresa, y tiene que hacerlo para que sea válida en la relación con el otro.

No miramos la historia que hemos creado a través de nuestras decisiones-acciones, para juzgarnos, para despreciarnos, para darnos cuenta de lo malos que hemos sido, sino para tratar de armonizar todo nuestro proyecto de vida, y esto solo es posible si aceptamos que ellas forman parte de nuestra historia y tienen un sentido en ella. Es en esa armonía donde está la felicidad que tanto buscamos, en entender que todo forma parte de lo que hemos valorado y que queremos llevar a la mejor situación en donde está la felicidad. Es mejor comprender la felicidad desde la presencia y no desde la ausencia.

Es necesario vivir procesos de perdón y tratar de asumir desde el amor, desde la compasión, desde la misericordia esas decisiones-acciones. Solo es posible vivir procesos de perdón desde valores trascendentales, espirituales. Desde el egoísmo, desde el sentido vengativo de justicia es muy difícil hacerlo. Se necesita espiritualidad para vivir el perdón.

Sé que esto suena muy difícil en una sociedad inmediatista, individualista, materialista, que se forja en tener, en poseer, en la satisfacción del sentido, en la justicia entendida como venganza, pero estoy seguro de que el hombre es capaz de lo sublime, de vivir desde valores trascendentales, espirituales, desde los cuales se puede encontrar el verdadero sentido de la vida.

Tienes que perdonarte tus equivocaciones, las decisiones personales que te dañaron y las decisiones de los otros que te hirieron, y para ello es necesario vivir el amor. Solo el amor permite el perdón. Te perdonas a ti porque te amas. Perdonas a los otros porque los amas o porque te amas a ti y no puedes seguir sufriendo, escindido por el dolor que ellos te han causado.

Necesitamos vivir esos valores trascendentales. Si ellos son el horizonte desde el cual podemos vivir el perdón, es necesario entonces hacerlos evidentes en nuestra vida actual. Amor, compasión, misericordia, solidaridad tienen que ser los valores que nos muevan en los procesos vitales en los que estamos concentrados.

Los relatos de perdón que trae el Nuevo Testamento nos dan muchas claves a este respecto, pero quisiera quedarme con el de Juan 8, 1-11[33]:

> Jesús se fue al monte de los Olivos. Y por la mañana volvió al templo, y todo el pueblo vino a Él; y sentado Él les enseñaba. Entonces los escribas y los fariseos le trajeron una mujer sorprendida en adulterio; y poniéndola en medio, le dijeron: "Maestro, esta mujer ha sido sorprendida en el acto mismo de adulterio. Y en la ley nos mandó Moisés apedrear a tales mujeres. Tú, pues, ¿qué dices?". Mas esto decían tentándole, para poder acusarle. Pero Jesús, inclinado hacia el suelo, escribía en tierra con el dedo. Y como insistieran en preguntarle, se enderezó y les dijo: "El que de vosotros esté sin pecado sea el primero en arrojar la piedra contra ella". E inclinándose de nuevo hacia el suelo, siguió

---

33 Algunos exégetas, por la temática y las características literarias, afirman que parece más un texto de Lucas y no de Juan.

escribiendo en tierra. Pero ellos, al oír esto, acusados por su conciencia, salían uno a uno, comenzando desde los más viejos hasta los postreros; y quedó solo Jesús, y la mujer que estaba en medio. Enderezándose Jesús, y no viendo a nadie sino a la mujer, le dijo: "Mujer, ¿dónde están los que te acusaban? ¿Ninguno te condenó?". Ella dijo:" Ninguno, Señor". Entonces Jesús le dijo: "Ni yo te condeno; vete, y no peques más".

Está claro que el paradigma desde el que se acercan estos hombres a Jesús es el del incumplimiento-condenación: si incumplió la ley se le debe castigar. Ellos ya tienen una decisión tomada; no conocen el valor trascendental de la misericordia, sino el del cumplimiento o no de la ley. El acercarse a Jesús es una acción que encierra una intención oculta: acusar y condenar a Jesús mismo. Están interesados en poner en cuestión a Jesús: o es verdaderamente misericordioso y entonces irá en contra de la ley de Moisés, o aceptará la condena de la ley y entonces no es tan misericordioso como trata de decir.

El perdón aquí podría ser entendido como la posibilidad de seguir reescribiendo la vida. Podríamos pensar que los hombres que quieren lapidar a la mujer creen que ya se ha acabado —por su pecado, por su error, por su transgresión de la ley— posibilidad de que esa mujer pueda seguir escribiendo su historia. Para ellos todo está terminado. Hay que matarla. Muchos creen lo mismo y cuando revisan su propia historia creen que ya todo está acabado, que no hay nada más que hacer, que deben seguir anclados en esa situación. Jesús —tal vez con el signo de agacharse a escribir en la arena— le propone a esa mujer que siga reescribiendo su historia, la haga de otra manera, aprenda del error pasado, entienda que debe regresar al punto de bifurcación en el que tomó la decisión equivocada, por eso le dice: "Ni yo te condeno; vete, y no peques más". Le está posibilitando con su palabra, con su atención, con su decisión de no condenarla, que intente de nuevo y vuelva a comenzar la vida. El perdón es la manifestación del amor. Supone una dimensión que trasciende la miope lectura religiosa basada en una ley y en su cumplimiento. Se entiende la justicia no como una experiencia al hacerle pagar al otro hasta el sufrimiento total lo mal que ha hecho, sino como misericordia, como posibilidad de cambio, de transformación, de nuevas decisiones que le ayuden a tomar el mejor rumbo, el de la realización y la felicidad.

Jesús genera la posibilidad de perdón invitándolos a revisar su historia y a darse cuenta de que también ha habido en ella decisiones equivocadas que podrían merecer el castigo que están pidiendo para el otro. Es necesario que aprendamos a revisar nuestra propia historia y nos demos cuenta de cómo podemos encontrar en ella motivaciones para perdonar a los otros y perdonarnos a nosotros mismos. Todos fallamos y todos tenemos que darnos una oportunidad para seguir adelante. Y desde esta constatación tenemos que aprender a darles a los otros la misma oportunidad. Asumir las decisiones de nuestra historia personal y todo lo que ella ha ocasionado se expresa en una actitud de perdón para nosotros mismos y para los demás. Allí no solo expresamos nuestro deseo de ser mejores sino, también, los valores que nos impulsan en la vida.

4. Rehaciendo lo que sea posible rehacer

Asumir las consecuencias de nuestras decisiones no solo pasa por la actitud espiritual de perdonarse y de perdonar a los otros, sino que se concreta en manifestaciones objetivas. Es claro que hay situaciones en las cuales ya no se puede hacer nada, la condición humana no nos permite tomar una decisión que pueda resarcir el error cometido. Hay situaciones que no tienen reversa y en los cuales asumir nuestras decisiones supone aceptar el precio que toque pagar por el error o simplemente vivir un proceso de perdón. Pero hay casos en los que sí se puede hacer algo y hay que hacerlo si soy una persona madura que está tratando de realizar de la mejor manera su proyecto de vida.

Es posible volver al punto anterior en el que se tomó la decisión equivocada y tomar una nueva decisión. Es posible recorrer un nuevo camino. Seguro no será en la misma condición anterior, pero será en una nueva en la cual se realizará el ideal que se tiene y se quiere recuperar. En mi vida de presbiterado he asistido a la decisión de algunos hermanos presbíteros de dejar el ejercicio del ministerio y reiniciar su proyecto de vida en otras tareas y ocupaciones profesionales y cotidianas. Gente que después de haber recorrido un buen trecho como sacerdote se ha dado cuenta, con honestidad y coherencia consigo mismo y con Dios, que ese no es el sendero que los conduce a la felicidad y han vuelto a estar en el "partidor" de las decisiones, para optar por uno nuevo. Es posible hacerlo, es honesto hacerlo. No se tiene que hacer un recorrido que creemos no es el nuestro, se puede parar y tomar una nueva decisión, la de ir a hacer otro sendero. No es una decisión fácil, ni debe ser tomada a la carrera. Lo importante es que la preceda un análisis exhaustivo, realista y profundo. Resarcir aquí es volver a iniciar un nuevo camino.

En el relato de Lucas 19, 1-11 vemos cómo Zaqueo asume sus decisiones anteriores tomando una nueva y sorprendente decisión: "Y Zaqueo, puesto en pie, dijo al Señor: 'He aquí, Señor, la mitad de mis bienes daré a los pobres, y si en algo he defraudado a alguno, se lo restituiré cuadruplicado'". Es una de las posibilidades de asumir las consecuencias de las decisiones y vivir un proceso de sanación, resarcir claramente a las personas que he afectado con mis decisiones y mi manera de vivir. Devolver lo que no estuvo bien que me apropiara, hacer lo que dejé de hacer por terquedad y egoísmo, tomar la iniciativa en un proyecto que he estado despreciando pueden ser las formas de expresar el proceso de sanación que busca armonizar todo en mi vida. Algunas veces es la mejor manera de que los otros se den cuenta de ese proceso que estamos viviendo, porque debe haber manifestaciones objetivas que muestren que es un proceso subjetivo, interior.

A manera de conclusión, podemos dejar claro que asumir las decisiones es aceptar haberlas tomado, reconocer que estuvieron mal y ocasionaron consecuencias que tenemos que enfrentar, vivir procesos de sanación y perdón frente a nuestras decisiones y las heridas que nos causaron. Se trata de ser capaces de darnos cuenta de que siempre es posible una nueva opción, un nuevo camino, una nueva posibilidad, y que esto depende de nosotros mismos, de esa libertad interior que nadie nos puede quitar. Tienes la posibilidad de aceptar tu vida, tus decisiones anteriores, de vivir nuevas experiencias, de asumir la vida con una mejor actitud. Esa es tu decisión. Que el miedo a fallar no te impida decidir y escoger el camino que te conduzca a la realización de tus sueños. Siempre es posible rehacer el camino, desandar los pasos e intentar otra vez un nuevo sendero.

Una manera de prevenir el efecto negativo de las consecuencias en nuestro interior es comprender que ninguna de las alternativas presentadas ofrece todo lo deseado. Una afortunada elección pasa por describir bien las consecuencias que proponen todas las opciones.

Sé que muchos, ante este tipo de reflexiones, me recuerdan las tendencias naturales, las presiones del contexto histórico-social en el que estamos, por los paradigmas que hemos asumido, etcétera. Estoy convencido de que tiene razón Zizek cuando nos recuerda que siempre hay espacios para decidir los "pequeños placeres" en los que nadie puede intervenir para hacer que nuestra decisión sea otra. Esos totalitarismos no existen. Siempre hay espacio para nuestra libertad, y tenemos que aprender a asumirla. Reconociendo las influencias externas y la participación de los otros, es necesario comprender que hay realidades que solo nos pertenecen a nosotros mismos y tenemos que aceptarlas.

Capítulo 7

Los otros y mis decisiones

Nuestra estructura antropológica nos hace seres en relación. La vida humana está tejida por interacciones de diversa índole. Incluso, al inicio de la vida misma hay un hecho relacional. No surgimos de un acto individual, sino de una relación entre dos seres humanos, nuestra esencia está hecha a base de actos de relación, de tal modo que toda nuestra existencia está teñida, posibilitada, limitada, potenciada o frustrada por las relaciones que tenemos con otros humanos como nosotros.

Somos seres sociales por naturaleza, estamos hechos para vivir con otros porque no nos bastamos a nosotros mismos para satisfacer nuestras necesidades, no podemos con todo y por ello los otros son parte de nuestra vida. Para subsistir, para adaptarnos al mundo, para hacer vestidos, sembrar comida, cazar, hacer herramientas, crear vida, entre otras cosas, dependemos de otros seres humanos que, a su vez, dependen de nosotros y del aporte que hacemos a sus vidas.

Así como tenemos necesidades básicas como respirar, comer, beber, dormir, también tenemos unas necesidades afectivas en las que los otros no pueden quitarse, porque dependen de la interacción que tengamos. Todos tenemos necesidad de contacto físico, de ser abrazados, cuidados, acariciados; también tenemos necesidad de establecer un contacto íntimo con otros, establecer niveles de comunicación más profunda, que alude a lo fundamental de lo que somos; tenemos necesidad de pertenecer a un grupo, de asociarnos en algo que va más allá de nosotros mismos, de nuestra individualidad; necesitamos de otros para comunicarnos con ellos, para compartir nuestra vida interior, esa que solo tiene sentido cuando hay con quien vivirla.

Creo que esa necesidad de la comunicación para la supervivencia humana fue llevada e interpretada magistralmente en el cine por el director Robert Zemeckis y protagonizada por Tom Hanks en *El náufrago*, en la que se narra la historia de un hombre que por un accidente aéreo termina viviendo en soledad durante largos meses, y para soportar el peso de la existencia sin los otros se inventa una amistad con Wilson, un balón de voleibol al que trata como a otro humano.

Siempre nos estamos comunicando, aunque no queramos hacerlo, porque el silencio también es una forma de expresión. Los seres humanos nos comunicamos verbalmente y por lenguaje no verbal, entonces cuando calla nuestra boca hablan nuestros gestos, nuestra postura, la forma en que miramos, la manera como estamos vestidos, etcétera. En lo complejo de nuestra vida, la comunicación es una decisión con la que también afectamos a los otros.

Para nadie es un secreto que el silencio entre las parejas puede ser motivo de agresión, un "no te hablo" es una manera poderosa de afectar al otro, es una decisión sobre la relación que se da cortando todo tipo de comunicación verbal, algunas veces, como un modo muy sutil, práctico y cruel de violencia. Estar atentos a esas decisiones que nos vienen de una parte no consciente de nuestra mente tiene que ser una tarea que nos impongamos para mejorar nuestra vida y nuestras relaciones.

Aprender a comunicarnos bien tiene que ser también una decisión. Entiendo que no hacerlo es una manera de decidir lo contrario. Y es realmente triste ver que muchos echan por tierra las relaciones que quieren construir, porque se les escapan, sin que lo sepan, comportamientos que rompen la paz o que maltratan a los otros, sin que ellos mismos sean dueños de esa decisión.

La comunicación no puede darse por algo sencillo y natural que fluye fácilmente. No siempre somos capaces de decir bien lo que estamos pensando o sintiendo; escoger las palabras que retraten de un modo la realidad interior no es algo fácil.

Cuando una mamá, llena de desesperación y frustración porque su hijo tuvo una conducta equivocada, en su afán de corregirlo le grita cosas como: "Es que no te fijas en lo que haces, estoy aburrida de ti, me tienes harta, ojalá te largaras rápido de esta casa, no te soporto", está intentando desahogar su ira, su enojo justificado por eso que hizo el hijo y que estaba advertido que no debía hacer. Pero no está queriendo decir lo que en realidad dice. Ella quiere propiciar en ese desahogo una conciencia en su hijo. Lo que intenta decir es: "Tienes que estar atento, tienes que recordar lo que te digo, tienes que saber que mi paciencia se agota y que me frustra ver que no haces lo que te pido". Esa mamá, en ese estado, no se está dando cuenta de que al querer motivar a su hijo a tener una conducta positiva le está dando un mensaje muy, pero muy distinto. Y el hijo no puede en ese instante acceder a lo que su mamá desea que entienda, él estará interpretando las palabras concretas que recibe, los gestos, el tono... Esto es una tragedia, porque muestra cómo es de compleja y peligrosa la realidad del lenguaje si no se logra comprender bien.

La decisión de ser dueños de nosotros, de manejar nuestras emociones, nuestro lenguaje y nuestras conductas tiene que ser una realidad que nos impongamos, porque afectándonos negativamente generamos un efecto de bola de nieve con los otros y las relaciones que tenemos con ellos.

Si no podemos vivir sin los demás, tenemos que aprender a convivir con ellos. Especialmente en lo que atañe al tema de las decisiones y cómo las nuestras y las suyas se afectan, se suman para tener sentido, se contraponen, se repelen o se juntan. Comprender lo extremadamente complejo de las relaciones humanas y lo que ellas significan a la hora de decidir es el propósito de este capítulo.

En este sentido social del que estamos hablando, nuestras decisiones, aunque ya hemos dicho que son primeramente propias e individuales, son actos de relación, porque afectan y son afectadas por los otros. Desde lo más simple hasta lo más complejo se entiende, o debe entenderse, por esa cualidad relacional que tiene lo humano.

Una cosa es que nadie pueda decidir por mí y otra, muy distinta, que los demás influyan en mis decisiones. Una cosa es que mi historia me tenga como protagonista principal y otra, más distinta aún, que no haya actores de reparto con niveles de importancia y afectación sobre mí.

Quisiera explicarme mejor. Hay gente que no conozco, que no tiene ninguna significación especial para mí, que puede tomar una decisión que podría afectarme. Si, por ejemplo, yo voy por la calle y me encuentro con una persona que ha decidido conducir ebria y, en ese estado, se cruza conmigo y me tira el carro encima, esa decisión me afecta de un modo importante, genera un traumatismo a mi normalidad, me cambia, me influye de un modo fundamental. Una persona que segundos antes no existía en mi mapa social, que no hubiese conocido de otro modo, que nada tiene en común conmigo, me afecta con una decisión.

Ni qué decir de las personas que viven cerca de mí, mi familia, mi pareja, mis amigos, mis compañeros de trabajo, mi jefe. Estas personas, a quienes no solo identifico con claridad, sino con quienes tengo un vínculo estable, toman decisiones que, por su radio de acción, me afectan positiva o negativamente.

De igual modo, lo que yo decido hacer tiene para los demás unas implicaciones prácticas y concretas que afectan sus vidas. Si yo decido botar la basura a la calle, estoy perjudicando a mi ciudad; si decido escuchar música a todo volumen durante la noche, estaré influyendo en el descanso de mis vecinos; si decido dejarme llevar por la ira y lanzar palabras ofensivas e hirientes que maltratan a mi pareja, estaré afectando nuestra relación.

Toda decisión que tomo tiene un radio de afectación; unas implicaciones mayores o menores, según el caso, en la vida de otras personas. Incluso si la decisión pertenece a lo que yo considero mi espacio de libertad; como cuando una persona decide entregarse al vicio de la droga porque tiene el derecho de destruir su vida porque es suya y eso no le debería importar a nadie más... Pero esta persona tiene familia, gente que la quiere y que se preocupará por esa decisión, que sufrirá esas consecuencias, que se verá afectada grandemente por aquella opción de vida.

Reconocer qué tanto afectan mis decisiones a los demás es oportuno, es sabio. Saber que la vida de los demás se verá afectada por aquello que quiero hacer me hace alguien más equilibrado a la hora de tomar decisiones y elegir caminos para transitar.

LOS OTROS EN MIS DECISIONES

1. La intención de mi decisión

Como las decisiones que tomamos tienen una intencionalidad, siempre que decido algo con referencia a otros estoy tratando de cambiar algo, de mejorarlo o de destruirlo. Si tengo una relación de pareja, por ejemplo, tengo la claridad de que si le grito, si decido hacerlo, estoy haciéndolo con una intención. No es algo que se da porque sí, sino que busca algo. Un grito quiere llamar la atención, o causar miedo, o aburrir al otro, o hacerlo consciente de un modo muy fuerte de la frustración que estoy sintiendo. Todo lo que decido hacer con respecto a los demás lo hago porque pretendo alcanzar algo, no es casual, ni es azaroso, ni nada de eso: tiene una pretensión.

2. La conciencia de intención

El problema se presenta cuando yo no sé qué es lo que busco, porque me dominan las ideas que no son conscientes y termino haciendo lo que no he pensado, sin pasar las acciones por el filtro de mi propio pensamiento. Para que mi relación con los demás pueda ser sana, tengo que convertir mis experiencias en reflexiones, es decir, saber por qué hice lo que hice, qué estaba buscando, qué intención tenía yo al hacer eso. No dar por supuesto nada, no creer que se trata de algo de simple comprensión, porque si yo mismo no puedo dar razones reales de mi manera de actuar, mucho menos lo harán los demás.

Los otros son comprendidos en lo íntimo de mí mismo. Lo que hago con ellos, lo que decido con respecto a los demás, lo he decidido primero en relación conmigo mismo. Tengo que aprender a indagar en mi yo, en la profundidad de quien soy, para saber de verdad cómo me estoy relacionando con los demás y cuáles son las decisiones que estoy tomando con respecto a ellos. Para ser consciente de cómo los estoy afectando, primero debo saber cómo permito que su presencia afecte mi vida.

3. La retroalimentación interpersonal de mi decisión

El hecho de molestar a mi pareja para que se enoje y me trate de tal modo, casi que obligarla a portarse de esa manera es una forma de establecer una relación. Hay esposas que necesitan sentirse dominadas, sometidas, entonces hacen todo lo posible para que sus maridos las traten de esa manera. Hay esposos que necesitan sentirse indispensables, por eso se comportan como proveedores, para generar dependencia y que los hagan sentir imprescindibles para que la economía familiar funcione.

En realidad, esas decisiones con respecto a los otros habría que comprenderlas desde la relación conmigo mismo y lo que espero de los otros, lo que deseo y lo que busco.

4. El peligro de la manipulación

De otro lado, el conocimiento de los demás, de sus maneras y sus propias búsquedas también se convierte en un elemento que determina mis decisiones frente a ellos. No es difícil saber qué botón oprimir para producir tal efecto en esos que conviven conmigo: De algún modo, sabemos cómo manipular más efectivamente a quienes conocemos. Pero esa especie de juego puede llegar a ser muy peligroso porque tiene unos altos costos en la relación que sostengo con esos otros. Definamos de una vez qué es ser manipulador:

> El manipulador es un individuo que puede ser del sexo masculino o femenino indistintamente, que *intenta imponernos su criterio y su forma de ver las cosas en la vida cotidiana...* El manipulador busca siempre satisfacer su necesidad e imponer su voluntad no teniendo en cuenta para nada lo que la otra persona siente o piensa. Estoy seguro de que usted estará haciendo en este momento un repaso mental y ya está descubriendo personas que tienen este tipo de comportamiento[34].

Y tengamos claro cuál es el arma más preciada por los manipuladores con los que compartimos la vida y nos la afectan: "Hay muchas armas de destrucción. Sin embargo, la violencia psicológica, la violencia física y el chantaje emocional se han convertido en las preferidas por quienes pretenden hacer de nosotros sus esclavos perpetuos"[35].

Mis decisiones respecto de los demás puedo tomarlas motivado por ese conocimiento del otro, porque lo reconozco, porque tengo también unas razones para esperar esas reacciones, desde los siguientes elementos.

---

34 Dresel W., *Yo te manipulo... ¿y tú qué haces?*, Grijalbo, Bogotá, 2013, pp. 27-28.
35 Ibíd., p. 47.

- *Basado en el afecto*, buscando unas recompensas afectivas, que no siempre son positivas. Es decir, algunas veces sabemos que nuestra conducta va a generar ira en el otro y, sin embargo, la tenemos y asumimos su reacción con satisfacción, quizá movidos por algún complejo de culpa o por una conducta mal aprendida. Es fundamental tener clara la influencia de nuestra autoestima, de la manera como fuimos criados y de los aprendizajes que hicimos en lo afectivo y en lo comunicacional, porque desde allí nos relacionaremos con los otros.

- *Basados en la experiencia*, por la vida compartida, por los años vividos, ya uno sabe qué puede esperar del otro y cómo nuestra decisión va a generar una conducta en él. La rutina de las relaciones interpersonales nos hace consciente de las reacciones de los otros ante ciertos estímulos y eso hace que cada día podamos "manipularlos" porque sabemos qué estímulos damos para las reacciones que queremos. Aquí pasar de una estructura relacional reactiva a una proactiva es muy necesario.

- *Basados en procesos mentales no conscientes*, que son las cosas que hacemos sin pensar demasiado, pero seguros de los efectos van a ocasionar. Aquí están nuestros aprendizajes, esas actitudes, esos hábitos que hemos incorporado de tal forma a nuestra manera de ser que ya no somos conscientes de ellos, pero que usamos permanentemente.

Esas decisiones que tomamos con respecto a los otros no siempre dan el resultado esperado, no tienen el final que pretendíamos en la intencionalidad de la decisión. Y eso pasa porque cometemos algunos errores.

- *Exceso de confianza,* que es un error que se comete en las relaciones establecidas desde hace mucho tiempo. La gente suele pensar que los demás no cambian, no transforman sus conductas, no reflexionan o no pueden actuar de una manera distinta. Y podemos encontrarnos con una sorpresa. Es posible que nos estrellemos con una persona que ya no piensa de la misma manera, que ha aprendido a moldear sus conductas de otro modo. El exceso de confianza en las decisiones con respecto a los demás se da porque se nos olvida contar con el otro en las decisiones que tienen que ver con él. Como el tipo que está seguro del amor de su novia y paga la fiesta de boda, las reservas para la luna de miel y la casa en la que él quiere que vivan, sin preguntarle a ella si está dispuesta a casarse con él. A lo mejor se encuentra con un sorpresivo no, después de tener todo comprado.

- *Egoísmo,* que es tomar las decisiones que implican a los demás solamente desde lo que yo mismo espero, desde lo que me gusta, desde lo que me parece deseable. Ese que organiza el domingo pensando en que le gusta el fútbol, cuando su pareja desearía ir a la playa, a cine o a visitar a algunos amigos. Pero ya la decisión está tomada sin contar con el otro. Ese error se comete con mucha frecuencia y también puede tener consecuencias muy negativas para la relación cuando mi capacidad de decidir se olvida de la misma capacidad de decidir que tienen los demás y no los incluyo.

- *No confirmación.* Si la humanidad es compleja, no podemos dar por sentado y por seguro que el otro está sin-
tiéndose satisfecho con la relación que le propongo, con
las cosas que hago y que digo y con las que no. Una de
las fallas más comunes en muchas relaciones que conozco pasa porque el otro supone que su pareja está sintién-
dose perfectamente bien con las cosas que hace, hasta
que se estrella contra la insatisfacción y el hastío del otro
de mala manera. Cuando decido pensando en los demás,
debo asegurarme de que mi decisión está siendo bien tomada, si estoy yendo por el camino correcto o si, por el
contrario, me alejo de lo que debería hacer.

- *Prejuicio de disponibilidad.* Este error consiste en creer
que uno es el mundo del otro, y que se muere por estar
siempre disponible para lo que yo deseo, espero o busco.
Resulta que los demás tienen vida propia y no siempre
en función mía. Su finalidad última de la existencia no es
complacerme en todo lo que se me ocurra, por lo tanto
tengo que aprender a preguntar si están disponibles, si
quieren, pueden o buscan eso mismo que yo. Sin sentir
que algo diferente en sus deseos es un atentado contra
mí o un rechazo terrible, sino aprendiendo a aceptar que
todos tenemos una vida propia y que está bien buscar
en ella lo que sintamos que nos hace felices, pues si es
válido para mí, y espero que sea respetado, está bien entonces que lo haga con los demás.

- *Desechar el conflicto.* Todo en la vida puede ser ocasión
de desencuentro, es normal, es humano que eso pase.

No hay una relación idealizada en la que uno no quiera algo que el otro no quiere. Pretender tomar decisiones que afectan a los otros sin que eso genere conflicto es algo absurdo. Lo normal es que haya conflictos. Ahora, lo anormal es que no sepamos cómo resolverlo de una manera saludable, que son dos cosas muy distintas.

LOS OTROS Y SUS DECISIONES

Así como yo soy un ser en relación que afecto con mis decisiones a los demás, sucede igual en vía contraria, es decir, las decisiones de otros me afectan también a mí. Y tengo que aprender a convivir con esa capacidad libre de elegir que tienen ellos. Para alguien inseguro y manipulador, la libertad ajena es una especie de amenaza que violenta la seguridad del afecto que debería existir en la relación, que no es otra cosa que una dependencia bajo su propio control.

Pero en una relación sana, se cuenta y se propicia una libertad compartida, desde la que no se está en relación con el otro por coacción o por obligación, sino por elección, desde unas razones que motivan la felicidad, la propician y la ejecutan en realidad.

Frente a las decisiones que los otros toman, debo tener el mismo respeto que espero que se tenga por las mías. Y también la misma libertad para el desacuerdo.

1. *El derecho a negárme*

Frente a lo que los otros hacen o esperan, no estoy obligado a responder afirmativamente. Tengo la posibilidad real de negarme, de no querer, de rechazar la oferta, de buscar otra posibilidad, sin que eso tenga que generar un rechazo a la persona, porque no es lo mismo el ofrecimiento que el oferente, no es lo mismo el argumento que el ser humano. Puedo decir que no estoy de acuerdo contigo sin que te esté despreciando o subvalorando. Cada uno de nosotros tiene la posibilidad de negarse cuando lo invitan a algo que no desea, que no pretende ni disfruta. No tengas miedo a decir no, pero aprende a decirlo, sin herir, sin pisotear, pero también sin dejarte obligar a aquello que no es lo tuyo.

2. *Manejar la frustración*

Si todos tenemos el derecho a negarnos, habrá más de una vez en la que no coincida la realidad con lo que esperamos, y tenemos que aprender a manejar la frustración como una muestra de madurez y de crecimiento personal, sin hacer pataletas ni creer que el mundo dejó de ser mundo porque yo esperaba que una persona hiciera algo y terminó haciendo lo contrario. Como es su decisión, tengo que respetar ese acto libre y no creer que me está haciendo una ofensa terrible porque yo quería que tuviera el pelo largo y se lo cortó, entonces si lo hizo fue para que yo me sintiera mal. La vida humana no gira en torno a mí ni a lo que quiero y espero. Tengo que aprender a ser tolerante con las situaciones frustrantes que me tocará vivir con relación a los demás, porque en algún momento harán uso de su libertad y no me complacerán en lo que quiero.

3. *Considerar alternativas*

Como el mundo no es como yo lo pienso, sino que es como es, tengo que ser capaz de comprender que los demás lo entienden de un modo diferente y actúan en consecuencia.

No es algo que se trate de mí, sino de las propias búsquedas que ellos tienen.

Los hombres, para tomar una decisión, piensan de un modo y las mujeres de otro. Quizá estén de acuerdo en la misma meta y quieran llegar al mismo sitio, pero recorren caminos diferentes. No pueden, por consiguiente, desechar la decisión que tomó el otro ni calificarla de descabellada, de absurda o de impropia. Tienen que llegar a la comprensión de esa decisión, aunque le encuentren fallas, pues toda decisión puede tenerlas, pero no para destruirla en un afán de mostrar superioridad, sino para ayudar a construirla de una mejor forma. No es una amenaza, sino una ayuda. No es algo que me ponga en peligro, sino que me lanza a un universo de comprensión y de acción que yo no tenía claro. Esa decisión del otro es un reto, pero positivo.

LA RETROALIMENTACIÓN DE LAS DECISIONES

Todo eso nos da certeza de que verdaderamente nos estamos comunicando con los demás a la hora de tomar las decisiones más importantes de la vida. Comunicarse es mucho más que hablar y escuchar: es comprensión, es coincidencia, es compartir sentido, es algo más complejo que no siempre se da en medio de nuestros ejercicios diarios de comunicación. Tenemos que estar seguros de que nos estamos comunicando con las personas que están interviniendo o que son afectadas en la toma de nuestras decisiones. Está claro que no podemos recorrer el camino de la manipulación ni podemos pretender que los demás queden a merced de nuestros deseos y necesidades. Somos seres autónomos, maduros y tenemos que relacionarnos desde esa realidad. No podemos pretender obligar, engañar, manipular a nadie, sino entrar en una relación que nos haga crecer como seres libres que somos. En este punto considero importante por lo menos tres condiciones que hay que tener claras a la hora de tomar decisiones y pensar en los otros.

1. *Certeza de que nos estamos comunicando bien*

Es necesario, sobre todo con el círculo más íntimo de la vida, tener claro que las razones que hemos expuesto para nuestras decisiones han sido comprendidas por los otros. Y no demos eso por sentado, hay que comprobarlo. Aquí ayuda mucho la técnica del parafraseo. Eso hace que el impacto de mis decisiones en los otros sea el que espero o, por lo menos, sea claro para los otros. Aquí hay que evitar cualquier engaño, que ellos no esperen de tu decisión lo que tú no estás pensando dar, que queden claras tus motivaciones y tus razones para actuar de esa manera. Eso evitará malentendidos y hará que las relaciones sean más maduras.

2. *Tener siempre presente al otro*

El hecho de estar en el mundo con otros nos debe hacer pensar siempre en ellos a la hora de tomar decisiones. No solo pensar en el otro que conocemos y es cercano a nosotros, sino en el que es desconocido y puede resultar afectado por nuestras decisiones. El otro se impone como un límite que tengo que tener y conocer. Mi libertad no es un ejercicio de egoísmo ni de desprecio por el otro. Entender la libertad así es una manera de mostrar que no somos libres y que no hemos alcanzado la madurez necesaria para realizar nuestra vida. Mis decisiones implican al otro, pues debo tenerlos presentes de manera consciente en mi vida.

3. Construir con ellos

Hay decisiones que tenemos que tomar en grupo, en familia, en sociedad. Tenemos que ser conscientes del otro y de que compartimos la vida, que en algunos momentos tenemos que ser capaces de reunirnos, de comunicarnos y de tomar decisiones consensuadas. Sabiendo que el consenso no es la suma de las opciones ni la imposición de lo que piensa la mayoría, sino que es el acuerdo al que llega la colectividad a partir de los procesos de comunicación y argumentación. Estoy pensando en la necesidad de prepararnos para construir consensos, no para imponer nuestra voluntad ni para abdicar de ella, sino para construir relaciones inteligentes en las que podemos descubrirnos y descubrir los intereses y, desde ellos, establecer consensos.

Es importante tener presente que los consensos no se construyen desde las posiciones, sino desde las razones, desde una comprensión trascendental de los intereses que tenemos, que son más comunes de lo que a veces creemos. Aquí se hace presente todo lo que tiene que ver con la participación de las acciones sociales. No podemos apartarnos de la toma de decisiones de nuestra sociedad, tenemos que participar activamente en ellas. Este mundo también es nuestra responsabilidad y tenemos que luchar por hacerlo más habitable y mejor para todos, incluyendo los que vendrán en el futuro. Creo que en esto hemos dejado que algunas personas nos hagan creer que nuestras decisiones no pueden cambiar nada, y eso es falso. Sí podemos hacer una sociedad mejor. Mientras escribo estas reflexiones, mi país, Colombia, está en procesos electorales y veo cómo los pobres, los marginados, los que nunca están presentes en ninguna de las decisiones trascendentales, cobran una gran importancia para los políticos que quieren ser elegidos. Sí, ahora hay concentraciones en los lugares pobres y estos son tratados con gran atención —ojalá no fuera solo por este tiempo, sino siempre—, ya que necesitan que ellos voten. Es decir, necesitan su decisión. Tendríamos todos que ser conscientes de esto para poder cambiar la realidad en la que estamos. Pero para ello tenemos que salir de fanatismos —todos los fanatismos son perversos, todos— y posiciones extremas de ver al otro, al diferente, al que piensa distinto, como un enemigo al que hay que eliminar. El otro no es un enemigo, es un compañero de camino, un hermano, y tenemos que aprender a asumirlo así para que nuestras decisiones sean más fraternas y nos hagan mejores a todos.

En conclusión, todo proceso de decisión es muy personal, nadie puede entrar en nuestra conciencia para alterarlo, pero toda decisión se toma siempre de cara al otro, con el que comparto la existencia. Esto significa que tenemos que ser más conscientes de su presencia en nuestra vida y que tendremos que establecer unas relaciones desde la madurez personal y la solidaridad. La madurez personal, porque somos dueños de nosotros mismos y tenemos que ser conscientes de que esas decisiones que tomamos son la vida que estamos construyendo y que somos responsables de ella, nadie será culpable de esas decisiones. Solidaridad, porque la existencia es estar siempre con otros y ellos son el límite y la posibilidad de nuestras decisiones, ellos están ahí y la vida se hace con ellos y, también, para ellos.

Capítulo 8

El que aprende a decidir aprende a vivir

Después de todo lo que hemos venido reflexionando sería importante tener presente qué caracteriza una buena decisión, creyendo en la tesis de que en la buena decisión está la buena vida, pues, como hemos insistido a lo largo del libro, la vida es una constante toma de decisiones. Quien no sabe decidir, no sabe vivir. El futuro no es más que las consecuencias de las decisiones tomadas hoy.

Considero que todo proceso de formación es fundamentalmente un proceso de aprendizaje en la toma de decisiones:

1. La crianza de los hijos

Es un proceso constante de enseñanza y preparación para que puedan decidir en su vida. La crianza no es más que el proceso de amor a través del cual los padres ayudan y permiten la apropiación de la autonomía, de manera progresiva, de los hijos. Una buena crianza lleva a que cada hijo sea autónomo. ¿Y qué es ser autónomo sino ser consciente de las decisiones tomadas en su vida y de las consecuencias que estas generan? No hay otra razón de ser para acompañar con tanto amor a los hijos. ¿Como padre estás enseñando a tus hijos a tomar de manera correcta sus decisiones? Debemos tener claro que los padres no estarán siempre al lado de sus hijos. Y a estos últimos les tocará afrontar situaciones difíciles y ser capaces de decidir. ¿Están preparados para hacerlo? Considero que los padres, para poderlos preparar para la toma de decisiones, tienen que tener presente por lo menos tres actitudes: ayudarles a tener una autoestima adecuada, favorecer su capacidad crítica y de análisis y asumir responsablemente las consecuencias de su vida.

2. La escuela

Aunque a veces se ha querido ver la escuela como el lugar en el que se atiborra al niño de información, hoy tenemos claro que, fundamentalmente, lo que se le enseña es a "saber hacer", esto es, a aprender a desarrollar su vida desde los contenidos que ha ido aprendiendo. Se necesita que la educación los empodere para ser protagonistas de su historia, para que puedan desarrollar sus contenidos existenciales. Además se requiere que la escuela les permita la constatación del otro, con sus características, y así puedan construir juntos.

3. Las relaciones interpersonales

Una buena relación de pares posibilita que cada uno, viéndose en su amigo como en un espejo, pueda enfrentar su propia vida y su capacidad de decidir. Esto es, el relacionarse con otros seres que optan libremente y que propician que el amigo tome decisiones libres. No solo me impulsa su ejemplo, sino que su *praxis* liberadora me ayuda. Las amistades que esclavizan o generan dependencia patológica no son recomendables.

4. Los juegos

Son muchas las ventajas para el aprendizaje de los niños proporcionadas por el juego, y vale la pena que se esclarezca qué están jugando nuestros hijos y qué les está enseñando. Muchos de los juegos virtuales de hoy les enseñan a tomar decisiones, no sé si bien preparados, pero los pone frente a realidades en las que deben decidir.

Considero que nuestra sociedad tiene que poner atención a estos espacios formativos para poder tener hombres autónomos capaces de tomar sus propias decisiones y asumir con inteligencia las consecuencias que ellas generan, sabiendo que allí está la posibilidad de su realización individual y colectiva.

De las decisiones depende el sentido de la vida. Ninguna decisión se queda sin consecuencias. Todas ocasionan otras situaciones y, seguro, la toma de otras decisiones. Esa es la lógica. Y allí se va realizando la vida, allí se va descubriendo, encontrando, construyendo el sentido.

Hemos dejado claro que ser libres para decidir nos hace responsables de lo que decidimos. Esto es, nos corresponde asumir las consecuencias ocasionadas con nuestras decisiones. Veo aquí una de las rupturas interiores del hombre contemporáneo, que lo lanza a la neurosis e incluso a la esquizofrenia en la que vive nuestra sociedad, que quiere ser libre pero no responsable. En tu análisis personal debe estar presente el peso de ser libre y de decidir. Otro no se puede responsabilizar de tus decisiones. Pretenderlo es no tener salud mental. En la sociedad de hoy es como si todos fuéramos, por un momento, adolescentes: "Quiero hacer lo que se me da la gana, pero que papi pague las consecuencias de mis decisiones". Todos luchamos por ser libres para tomar decisiones y escogemos qué rumbo le damos a la vida, pero no todos nos preparamos para asumir las consecuencias de esas decisiones. Creo en la libertad, que es el derecho y el valor que más defiendo, y por ello he dedicado todas estas páginas a reflexionar en torno a ella. No me gusta sentirme presionado, esclavizado ni manipulado por nada ni por nadie. Pero tengo claro que eso me hace responsable de todo y que no puedo acusar a nadie de lo que me pasa, ni culpar a otros de lo que yo mismo he ocasionado con mi capacidad de optar.

Muchos en su relación con Dios tienen este problema. No cuentan con Él para nada, no dejan que su palabra los guíe, no se abren a la fuerza de los valores evangélicos; pero sí despotrican de Dios cuando los planes no salen, se sienten frustrados por los resultados o simplemente están decepcionados. Allí hacen la pregunta del millón: "¿Y dónde está Dios? ¿Por qué Dios permite que esto pase?". ¡Hey! Si no lo tuviste en cuenta para decidir, si no dejaste que su palabra te iluminara, tampoco tienes nada que preguntarle, sino asumir tu vida como el ser humano autónomo que eres. No acepto que se entienda la religión como un corsé que nos aprieta y nos hacer asumir las posiciones correctas, ni me gusta entenderla como una "carreta" que me aliena y me quita la oportunidad de decidir. Mucho menos me interesa sentirme la marioneta de Dios que me mueve a través de hilos invisibles. Soy libre. Él me hizo libre (Gálatas 5), me hizo a su imagen y semejanza (Génesis 1, 1-2,1). Decido qué hacer con mi vida (Deuteronomio 30, 15-20). Soy quien decide si lo amo o no —ya Él me amó primero y sin condiciones—, soy quien decide si lo acepta o rechaza (Marcos 10, 17-30). Eso sí, soy quien tiene que asumir las consecuencias de todo lo que hace y decide.

En este orden de ideas, no culpes a Dios de lo que decides y te sale mal. Ni pretendas que haga lo que tú no quieres hacer por ti. Él te da oportunidades, pero eres tú quien elige qué hacer y cómo salir adelante. Piensa bien, siente bien qué estás decidiendo y haciendo. No hay un destino prefabricado como un libreto por cumplir. Eres tú quien va construyendo y llenando las páginas de tu propia vida. Sé responsable y asume lo que ocasionas. Si sacas a Dios de tu vida, luego no preguntes dónde está cuando las cosas te salen mal y sufres mucho. Seguro que está allí, donde siempre, respetando tu libertad, amándote con todo su ser y esperando que lo ames. Por eso tenemos que tratar de caracterizar bien qué es una buena decisión, qué es lo que debe tener.

El futuro depende de nuestras decisiones. Es el resultado, la consecuencia que ocasionamos con ellas. Por eso, si quieres tener un buen futuro, tienes que aprender a decidir de la mejor manera.

Una buena decisión nos exige, como sujetos, por lo menos lo siguiente:

- *Inteligencia.* No se debe tomar decisiones sin buen análisis. Es necesario revisar de arriba abajo la realidad, escrutarla de buena manera y tener claras todas sus posibilidades. Hay que razonar con lógica y coherencia. No nos podemos dejar obnubilar por las emociones, que nos hacen perder fácilmente el sentido de la realidad y son muy "presentistas", es decir, no nos permiten tener en cuenta el futuro. A mí me hace mucho bien sospechar de todo, asumir la duda como método, tratar de comprender las razones que mueven la realidad. No se trata de aceptar porque sí y ya. Tiene que haber razones. Entiendo que la razón no se opone a la intuición y que es

necesario estar abiertos a ambas posibilidades Hay realidades que capto intuitivamente y que, aunque no puedo
explicar con argumentos, sé que no están bien o confío
plenamente en ellas, eso hay que aceptarlo y asumirlo.

- *Carácter.* No decidir es ya una decisión. No podemos vivir al bamboleo de las olas de la vida. Tenemos que saber
conducir nuestro proyecto vital para donde queremos.
Y para ello hay que ser firmes, consistentes y respaldar
con acciones la decisión que tomamos. El carácter tiene
que ver con esa solidez con la que somos capaces de sostener las decisiones que hemos tomado, no pretendemos
que todo salga fácil y que las decisiones no nos hagan
pasar por momentos de turbulencias fuertes, y por eso
se necesita carácter para mantenerse firme en medio de
ellas. Normalmente, el que no tiene carácter no llega a
ninguna parte porque termina perdiéndose en el laberin-
to de los caminos de la vida. Hay decisiones que en el
presente causan dolor, tristeza, pero que tienen mucho
sentido para el futuro, tomarlas exige carácter. No por
evitar un dolor presente podemos comprometer el mañana. Recuerdo mucho cuando estudiaba en Bogotá y
pasaba vacaciones en Santa Marta. Al tener que regresar
a la capital vivía momentos tristes por no poder quedarme con mi familia, por no poder ver el mar, por no
poder disfrutar de la región en la que nací y crecí. Pero
era una decisión que había que tomar y asumir con carácter porque lo que estaba en juego era mi preparación
para el futuro. Había que secarse las lágrimas y tomar el
autobús camino hacia la fría Bogotá. En el campo de las

elecciones políticas, a veces algunos toman la decisión de votar por un candidato porque les ofrece una solución inmediata y efímera de alguna necesidad, sin comprender que en lo ancho de la historia esa decisión traerá más dolores que alegrías.

• *Solidaridad.* Como hemos dicho, en los capítulos anteriores, no podemos olvidar que vivimos con otros y que nuestras decisiones afectan a los que están a nuestro alrededor. Hay que tener el corazón abierto para incluirlos a ellos en el análisis, sabiendo que la decisión siempre es personal. La negación del otro es producto de la idolatría del tener y del poder. Juan Pablo II afirmó que:

> Entre las opiniones y actitudes opuestas a la voluntad divina y al bien del prójimo... dos parecen ser las más características: el afán de ganancia exclusiva, por una parte, y por otra, la sed de poder, con el propósito de imponer a los demás la propia voluntad. A cada una de estas actitudes podría añadirse, para caracterizarlas aún mejor, la expresión "a cualquier precio"[36].

A veces no somos conscientes de la responsabilidad social de nuestras decisiones. Por ejemplo, cuando desistimos de participar en un jornada electoral, no estamos teniendo en cuenta que marginarnos de esa situación trae consecuencias que no solo nos afectan a nosotros como individuos, sino a toda la sociedad. O cuando elegimos

---

36 Juan Pablo II, Encíclica *Sollicitudo rei socialis*, www.vatican.va n.° 37.

a una persona para un cargo político solo pensando en nuestro interés y nos olvidamos de que no vivimos solos y que todos somos responsables de la sociedad en la que estamos.

- *Valentía.* Esta característica la quiero compartir a través de una experiencia muy personal. Soy uno de esos seres que se sienten bendecidos por Dios y que sabe que Dios lo acompaña y lo llena de su fuerza todos los días. Por eso normalmente las situaciones que vivo no me dan miedo, porque sé que Dios no me deja sucumbir nunca. De esto he hablado por la televisión, por la radio, en mis columnas de los periódicos, en mis predicaciones nacionales e internacionales. Mejor dicho, he hablado muchas veces de lo que significa para mí ser un hombre de fe, y muchas veces he invitado a los hermanos a dar un paso de fe. Los he invitado a salir adelante, a lanzarse creyendo y confiando. Eso siempre ha sido una metáfora para mí. Pero en un programa de televisión en el que participé hace unos años (*Tengo una ilusión*) me tocó vivir una experiencia física que me hizo comprender que esta metáfora es real, absolutamente real. En medio de ese *reality* en el que participé, me tocó ir a Tolemaida a hacer parte de un entrenamiento de los soldados colombianos. Se trataba de participar en la pista de Lanceros, donde viví una de las experiencias físicas más extenuantes de mi vida. Pero lo que quiero compartir con ustedes es que en medio de las pruebas me tocó bajar en rapel, agarrado a una soga de frente y de espaldas, de una torre de 28 metros de altura. Aunque hice las dos pruebas, los momentos antes de iniciar el descenso fueron de mucha tensión y, sobre todo, de mucho miedo. Allí dar el paso en fe era una realidad literal. Uno se coloca en un ángulo de 45 grados en la punta de la torre y debe dar un paso al vacío para iniciar la caminata por la torre. Ese paso en el vacío nos exige decisión, confianza y, especialmente, capacidad de riesgo. Fueron varios los intentos fallidos que tuve; me colocaba en posición y no era capaz de dar el paso hacia delante, algo en mi cerebro me bloqueaba y no me dejaba lanzarme. Es como si el miedo me ganara. Era un momento de decisión. Y para que pudiera lograr el objetivo tenía que decidirme. No fue fácil, pero lo hice. ¿Y cómo se hace? Venciendo el propio miedo. No podemos dejar que el miedo nos bloquee y nos quite la posibilidad de realizar el sueño que tenemos. Siempre hay posibilidades de fracasar y de fallar. A mí me daba miedo que los arneses que me sostenían se rompieran (siempre he sido gordito) y me cayera. Las posibilidades de que eso pasara eran poquísimas, pero mi miedo hacía que el cerebro las agrandara, con el tremendismo de la angustia, y parecía que lo seguro era que me cayera. Pude hacerlo, y lo hice con valentía.

Creo que para decidir bien también se necesita valentía. Hay que tener capacidad de riesgo, ya la inteligencia nos ha permitido saber que la situación está más o menos controlada. Hay pasos que tenemos que dar cueste lo que cueste, y para ello necesitamos capacidad de decisión. Aunque haya miedo, aunque el futuro se oscurezca, aunque la soledad aparezca, tenemos que dar ese paso.

Solo se puede ser decidido si confiamos en nosotros mismos, en los demás —si se han mostrado confiables— y en Dios —que nunca defrauda—.

En el primer lanzamiento de rapel que hice de frente tuve un incidente y fue que estando suspendido en el aire a 28 metros sentí que algo se rompía. Fue el peor susto de mi vida, pero apenas me di cuenta de que no me caía, me lancé confiado a caminar esa pared. Se trata de confiar. Se trata de tener capacidad de riesgo, nada en la vida es ciento por ciento seguro, todo tiene un espacio para la inseguridad, y nosotros no podemos pretender tomar decisiones solo cuando todo está asegurado. La vida se construye siempre en el filo de la incertidumbre. En nuestra historia estamos llamados a vivir en medio de las ambigüedades de nuestro propio ser.

• *Confianza.* Hay que creer en lo que se decide, con la convicción de que eso es lo mejor. Se trata de apostarle de verdad a la opción que escogemos, de poner todas las fuerzas, todas las capacidades en función de ella. La buena decisión es consecuencia de la capacidad de confiar, primero, en sí mismo, de conocerse, aceptarse y amarse. También es necesario confiar en los "otros", seguro no en todos, pero sí en los que forman parte de mi equipo de trabajo, de mi círculo íntimo, que me acompañan en la tarea de vivir y de construir nuevos mundos y proyectos. Solo no puedo lograr los objetivos que quiero, estoy en el mundo con otros y mi vida está en relación estrecha con ellos. Debo confiar en ellos para poder alcanzar lo que estoy soñando. Son dos confianzas existenciales fundamentales para cualquier proceso de decisión: confiar en mí mismo y confiar en aquellos que están a mi lado y que forman parte de mi equipo.

Aquí hay que tener en cuenta también la dimensión espiritual. Los que creemos decidimos desde nuestra fe religiosa, tenemos en cuenta el criterio teológico para la toma de decisión. Normalmente yo, que soy cristiano y que tengo a Jesús como el modelo de mi vida, me pregunto: "¿Qué haría Jesús en estas circunstancias?".

- *Plan estratégico.* Las decisiones no se toman sueltas, recuerda que ellas están interrelacionadas, muchas veces una va llevando a la otra, y deben estar integradas en el proyecto de la vida. Considero que las decisiones se realizan en el marco de un plan estratégico, porque la vida no se puede construir de improvisaciones, no se pueden tomar opciones que nos satisfagan en un solo momento, con consecuencias que debemos asumir toda la vida. Es necesario guardar las proporciones entre los placeres momentáneos y el desarrollo de la existencia. Me cuestiono cuando analizo la cantidad de familias improvisadas que tiene nuestra sociedad, porque algunos muchachos tomaron la decisión de tener relaciones sexuales sin medir las consecuencias que un hijo podría traer para unas personas que no tienen un proyecto de vida claro y definido, que les ayude a conformar una familia que se desarrolla equilibradamente como un organismo vivo compuesto de distintas partes que ejercen interacciones recíprocas[37].

Un plan estratégico es necesario para avanzar en la vida con unas directrices y unos comportamientos específicos que determinen la forma en la cual vamos desarrollando la existencia, para ir enfrentando las situaciones sin que ellas nos tomen por sorpresa y nos lleven a la incertidumbre. Una persona que toma decisiones sueltas, presionada por las situaciones inmediatas, vive en la angustia de lo que va a enfrentar, no hace análisis de riesgos y las consecuencias pueden golpear más duro, porque aparecen de forma inesperada, sin tener los medios para afrontarlas.

El plan estratégico es un concepto del mundo empresarial, pero estoy seguro de que puede dar muy buenos resultados aplicándolo a la vida en los momentos que debemos tomar decisiones. Muchos estrategas empresariales piensan que se trata de una reflexión encaminada a definir qué dirección futura tenemos que tomar para conseguir lo que queremos apoyada en las herramientas adecuadas. Y que para ello es necesario hacerse preguntas como las siguientes: ¿Dónde estaba ayer? ¿Dónde estoy hoy? ¿Dónde quiero estar mañana? ¿Qué haré para conseguirlo?[38]

---

37 De Lourdes Eguiluz L., *Dinámica de la familia*, Editorial Pax México, México, 2003, p. 1.

38 Sainz de Vicuña Ancín J. M., *El plan estratégico en la práctica*, ESIC, Madrid, 2012, p. 27.

Un buena decisión que nos ayude a asumir las consecuencias debe pasar por una reflexión, a través de las preguntas que te acabo de proponer, integrándola en el plan estratégico que vamos desarrollando en la vida. No creo que todo se pueda prever, hay experiencias que se escapan a nuestros cálculos, pero si integramos las opciones personales a un plan que se estructura con pensamiento estratégico, podemos lograr más asertividad en las decisiones que tomamos.

- *Eficiencia personal.* Nuestras decisiones tienen que ser eficaces, eficientes. Tienen que hacerse notar objetivamente en la vida diaria. Las decisiones no se pueden quedar en el orden personal sin que nadie las pueda constatar y comprobar en la vida. Una persona eficaz es aquella que es capaz de manejar sus habilidades personales para moverse con libertad y superar los problemas en todas las dimensiones en las que se desarrolla su vida; se nota lo que decide en acciones concretas, sus decisiones trascienden en obras, empresas, acciones bien constatadas. He insistido que cuando tomamos una decisión no nos quedamos sentados a esperar lo que va a suceder. Las decisiones están acompañadas de acciones concretas que nos ayudan a realizar aquello que queremos, cuando tomamos una opción entre el abanico de posibilidades que se nos presentan.

Si tomas una decisión, es necesario que luches con valentía contra viento y marea para llevar a buen término tu proyecto. Las decisiones no son mágicas, ellas solas no transforman la realidad, es muy importante que las acompañemos con renuncias, a veces requieren actitudes diferentes a las que veníamos teniendo y compromiso radical. Muchos matrimonios se desbaratan poco tiempo después de que la pareja se casa, porque su decisión de ser fiel y de amar a la otra persona no estuvo acompañada de cuidados por el otro, de acompañamiento, de renuncia a personas y lugares que no favorecen, para mantenerse en los compromisos adquiridos con esa nueva forma de vida. Algunas mujeres se casan con la plena convicción de que con el matrimonio su novio va a cambiar las actitudes que no permiten construir la relación. Pero si su esposo no toma conciencia de la responsabilidad de su decisión, con todo lo que ella implica y utiliza todas sus habilidades personales para construir una familia, ese matrimonio será una barca que solo se mueve con un remo.

Para ser eficaz se necesita un autoconocimiento que nos permita identificar con qué habilidades contamos para hacer posible lo que decidimos y de qué tamaño pueden ser nuestras decisiones, teniendo en cuenta nuestros propios límites. Hay que tener conciencia real de lo que somos, sabiendo qué habilidades y capacidades poseemos. Tomar decisiones desde la irrealidad de nuestro ser nos lleva siempre al fracaso, porque nos enfrenta más a nuestras carencias.

Cuando decidí ser presbítero en la Iglesia católica tuve en cuenta mis habilidades personales, sabía que tenía capacidad para hablar, para relacionarme con las personas, sabía que mi experiencia espiritual podía ser más fuerte si me entregaba con compromiso y fidelidad para ser un servidor de Dios, ayudando a la gente. Aunque me gustaba mucho el fútbol, hubiera sido una locura decidirme por ser futbolista, porque no tenía las condiciones físicas para hacerlo, tampoco la habilidad para desarrollar un buen juego en equipo y poner algunos pases precisos que terminaran en opciones claras de gol. Decidí entonces ser un presbítero, respondiendo a la propuesta que descubrí que Dios me hacía en mi vida espiritual, y me puse en la tarea de desarrollar todas las capacidades que Él me ha dado para serlo. Esa decisión estaba acompañada de la comprobación de la existencia de algunas habilidades, destrezas que seguramente tenía que potenciar mucho más y de la constatación de algunas carencias en las que había que trabajar. Ha sido hasta hoy una decisión eficaz porque partí de mi realidad, leída y entendida objetivamente.

Stephen Robbins nos dice que la eficacia personal se refiere a la convicción del individuo de que es capaz de realizar una tarea. Cuanto mayor es la eficacia personal, mayor confianza se siente en culminar la tarea. Por tanto, en una situación difícil vemos que las personas con poca eficacia personal tienen más probabilidades de aminorar el esfuerzo o de rendirse, mientras que quienes tienen más eficacia personal se empeñan más por dominar la dificultad. Por otro lado, los individuos con mayor eficacia personal responden a la retroalimentación negativa aumentando el esfuerzo y la motivación, en tanto que los otros reducen sus empeños en la misma situación[39].

Zygmunt Bauman[40], comentando un episodio de *La odisea*, cuenta el caso de unos marineros, compañeros de Odiseo, que habían sido hechizados y transformados en cerdos por la diosa Cirse. Estos marineros, encantados con su nueva condición, se resistieron desesperadamente a los intentos de Odiseo por romper el hechizo y devolverles la forma humana. Cuando Odiseo les dice que ha encontrado unas hierbas mágicas capaces de deshacer el hechizo y que pronto volverán a ser humanos, los marineros transformados en cerdos corrieron a esconderse tan rápido que su salvador no pudo alcanzarlos. Cuando Odiseo logra alcanzar a uno de los cerdos y frotarlo con la hierba milagrosa, del animal surge Elpenor, un marinero como cualquiera, común y corriente desde todo punto de vista, igual a todos los demás, ni especialmente dotado para la lucha ni notable por su ingenio. Elpenor, ya liberado, no estaba agradecido en nada por su liberación y atacó furiosamente a Odiseo diciéndole:

¿Así que has vuelto, entrometido? ¿Otra vez a fastidiarnos y molestarnos? ¿Otra vez a exponer nuestros cuerpos al peligro y a obligar a nuestros corazones a tomar nuevas decisiones? Yo estaba tan contento, podía revolcarme en el

---

39 Robbins S., *Comportamiento organizacional*, 10ª ed., Pearson Educación, México, 2004, p. 167.

40 Bauman Z., *Modernidad líquida*, Fondo de Cultura Económica, México, 2003, p. 23.

fango y jugar a la luz del sol, podía comer, gruñir y roncar, libre de dudas y razonamientos: ¿Qué debo hacer, esto o aquello? ¿A qué viniste? ¿A arrojarme de nuevo a mi odiosa vida anterior?[41]

La motivación para lograr transformaciones en nuestra vida, a través de las decisiones no nos vienen de afuera, reside en cada uno de nosotros, cada quien toma decisiones impulsado por los deseos que guarda en el corazón. Dejar que las razones de nuestra motivación estén totalmente afuera es estar a merced del mundo exterior, de las demás personas, y no ser dueños de nosotros mismos. No podemos darles el poder a los demás de decidir sobre nosotros y sobre la vida que queremos llevar. Cada quien es dueño de sus opciones y también de las consecuencias que ellas traen consigo. Una persona que consigna en manos de los demás el poder de sus decisiones permanece en un estado pueril y otorga la potestad a otros de organizarle la vida, en contra de sus deseos. Aunque los demás no estén de acuerdo con tus decisiones porque no les parece que estén en el rango de lo que ellos consideran normal, siempre debes hacer opciones motivado por lo que tú consideras es la forma en que quieres vivir.

La motivación empuja a la voluntad a ponerse en movimiento y a encontrar opciones que transformen la manera como vemos el mundo que habitamos para, a partir de ese momento, encontrar metas y objetivos que

_____

41 Ibíd.

colmen nuestras expectativas. Una persona que no tiene un objetivo claro para avanzar en su vida no genera cambios a través de sus decisiones, porque la fuerza para actuar siempre le viene impuesta de afuera. Cuando falta la motivación, son los demás los que deciden lo que debemos hacer, cuándo lo debemos hacer y de qué forma.

Siempre tomamos una decisión impulsados por un objetivo que nos mueve, que nos arrastra en contra de las adversidades o de lo difícil que parezca la situación en la que nos vamos a meter. Cuando tomamos una decisión no podemos perder de vista la motivación inicial que tuvimos para hacerlo, porque es posible que perdamos con facilidad los ánimos cuando aparezcan las consecuencias. La motivación es la que nos mantiene en pie con nuestras decisiones y nos da ánimo cuando el viento de las dificultades aparece como consecuencia de las opciones personales.

Tenemos entonces unas características que están directamente relacionadas con el sujeto y sus actitudes, y otras que tienen que ver con sus realizaciones, sus planes y sus acciones. No hay que hacer desaparecer ninguna de las dos dimensiones. Las decisiones tienen que ser tomadas desde unas características subjetivas y otras objetivas bien concretas. El ser humano siempre está ubicado en un tiempo y un espacio, y estos están implicados en la toma de decisión. La enumeración que he hecho de las características de una decisión saludable para mí y para los que están a mi alrededor debe ser analizada en forma de preguntas en un autoanálisis a la hora de seguir tomando decisiones.

No hay fórmulas mágicas para vivir y ser feliz, pero sí está claro que si aprendemos a decidir, tendremos muchas más posibilidades de alcanzar los objetivos que nos hemos propuesto y de realizar los sueños que tenemos. Es importante que cada uno ponga mayor atención a sus decisiones, que se cuestione cómo las toma y que comprenda que es necesario decidir de la mejor manera para que los "mundos" que de ellas se generen sean los que queremos y los que nos hagan sentir más contentos con nuestra propia vida.

Capítulo 9
Claves espirituales para decidir bien

Hemos recorrido todo un camino tratando de mostrar el poder que tienen las decisiones y haciéndonos conscientes de la necesidad de tomarlas con mayor cuidado y atención. Quisiera aportar ahora unas claves desde la espiritualidad y, más exactamente, desde la espiritualidad cristiana, que es la que profeso y vivo.

Está claro que Dios nos ha creado libres y que las decisiones tienen que ser tomadas por nosotros mismos, que Él no nos va a usurpar esa tarea y que tampoco Él nos reemplazará al tener que asumir las consecuencias que ellas generen. Por eso, hablar de claves espirituales no es hablar de cómo Dios decide por nosotros o cómo Dios mueve los hilos de nuestra vida para que hagamos lo que a Él se le da la "gana". No. Se trata de comprender su actuación en la historia y en nosotros y así poder actuar de la manera que más nos conviene a la hora de tomar decisiones.

1. Somos creados por Dios

Desde la fe cristiana nosotros creemos que somos creación de la mano de Dios. Él nos ha creado y lo ha hecho con un propósito de vivir a plenitud. Esto significa que tengo que asumir la vida como algo que tiene sentido, como algo que me ha sido dado para administrarlo realizándome como un ser humano feliz, que deja que Dios le llene la vida con su presencia. Esto hace que cada una de mis decisiones tenga que ser ubicada en un contexto mayor al que puedo tener inmediatamente, es necesario ubicarla en el plan de Dios, en nuestra historia de salvación. Hay que abrir el foco a la hora de tomar decisiones, no quedarnos encerrados en nuestros propios intereses, a veces miopes, sino contar con el plan de Dios. Eso implica no tener miedo para vivir, para decidir, para actuar, pero también implica estar en contacto con Él, tener una experiencia íntima en intensa con Él.

2. *Dios nos acompaña y nos habla en la historia*

Una de las certezas del pueblo bíblico en el Antiguo Testamento es que Dios está con ellos y los acompaña en sus luchas diarias, por eso lo encuentran presente y hablándoles en cada una de las manifestaciones de su vida, no importa que sean tan humanas. Esa certeza se va a hacer plena en el Nuevo Testamento con el misterio de la encarnación (Juan 1, 14). Dios está con nosotros en la historia y en ella nos habla. Para el proceso de toma de decisión es importante ser capaces de estar atentos a la historia y leerla en clave de fe, ser capaces de descubrir qué es lo que Dios nos está mostrando y cómo nos está guiando. Estoy seguro de que a la manera de Hansel y Gretel, Él nos está dejando migajas de misericordia en la vida para que sigamos el camino, sabiendo nosotros que Jesús es el camino, la verdad y la vida (Juan 14, 6). La vida del creyente no es una vida de distraídos, sino una vida de alguien que está atento a su desarrollo para encontrar lo que Dios le está diciendo. Siempre en una actitud inteligente de discernimiento.

3. *Sabernos hijos de Dios es sabernos capacitados para la vida (eso se debe expresar en la vida diaria en una buena autoeficacia)*

Tomamos decisiones con la seguridad de que somos capaces de encontrar las soluciones, de encontrar el camino, de realizarnos. No somos pesimistas al tomar decisiones, sino que lo hacemos desde la seguridad que nos da la presencia de Dios en nuestra vida. Así que podemos estar seguros de que Dios no da misiones a quien no se ha capacitado para realizarlas. Me emociona mucho leer el salmo y escuchar que el salmista me dice al corazón: "Espera en el Señor, sé valiente, ¡ten ánimo, espera en el Señor!" (Salmo 27, 14). No puedo vivir la vida con cobardía, con miedo y sin asumir los riesgos que se me ofrecen. Tengo que ser valiente, y quien cree y confía en Dios es valiente, y desde esa relación de amor se lanza a construir lo que desea a través de decisiones adecuadas. Además, vale la pena pensar en la frase que tantas veces repito y que me hace saber que estoy capacitado para vencer, que no me puedo echar para atrás ante los desafíos: "Todo lo puedo en Cristo que me fortalece" (Filipenses 4, 14). Nos recuerda que hemos sido capacitados en Cristo, para dar la batalla, para vencer las dificultades y no darnos por vencidos tantas veces. Es probable que algunos de los que me lean hoy se sientan deprimidos, tristes y sin fuerzas para salir adelante; seguro que los problemas parecen superar todas sus fuerzas y no queda aparentemente más salida que huir de todo... Pues no. Siempre hay salidas, siempre hay oportunidades, Dios nos ha dado en el Resucitado la fuerza para que salgamos adelante. Confía en Dios, cree en su amor y descubre que en ti hay dones y capacidades para vencer. Ten la certeza de que si das la batalla, un día podremos reírnos de todo esto que hoy te hace sufrir. Tomemos decisiones con esa seguridad existencial que proviene de nuestra fe, estamos capacitados, somos capaces de encontrar salidas y saldremos adelante (Romanos 8, 28-37)

4. *Las decisiones nos generan dolores y momentos difíciles*

La experiencia espiritual tiene que ser una fuente de consuelo para esos momentos.

> Alabado sea el Dios y Padre de Nuestro Señor Jesucristo, Padre misericordioso y Dios de toda consolación, quien nos consuela en todas nuestras tribulaciones para que con el mismo consuelo que de Dios hemos recibido, también nosotros podamos consolar a todos los que sufren. (2 Corintios 1, 3-4).

Me fascina meditar en Dios como un Padre misericordioso y Dios de toda consolación, eso me da mucha paz, eso me hace saber que no estoy perdido y que todos los gritos de auxilio que pronuncio son escuchados y van a hacer respondidos por Dios en la historia. No es un juez vengador ni un irresponsable que me deja expuesto a mis errores, sino que es alguien que me ama y me ayuda a vencer las dificultades. Él me consuela en medio de las situaciones más difíciles de la vida, su amor llega a mí, no para desaparecer mágicamente las situaciones difíciles, sino para menguar el dolor en mi corazón y hacerme comprender mejor cada una de esas situaciones. Él me consuela haciéndome saber que está comprometido conmigo, perdonándome siempre para que tenga una nueva oportunidad de volverlo a intentar.

Su misericordia va más allá de todo dolor, de todo error y me abre nuevos horizontes para la vida.

En medio de decisiones totalmente equivocadas que me han traído enormes problemas y que me generan un gran sentimiento de culpa es necesario desde la fe comprender que Él siempre me perdona y me da una nueva oportunidad, no podemos vivir la vida con miedo ni con una exacerbación de la culpa:

> Doy gracias al que me fortaleció, a Cristo Jesús Nuestro Señor, porque me tuvo por fiel, poniéndome en el ministerio, habiendo yo sido antes blasfemo, perseguidor e injuriador; mas fui recibido a misericordia porque lo hice por ignorancia, en incredulidad. Pero la gracia de Nuestro Señor fue más abundante y me dio la fe y el amor de Cristo Jesús (1 Timoteo 1, 12-14).

Sí, donde abundó el pecado sobreabundó la gracia. No somos perfectos, nos equivocamos mucho, fallamos mucho, hemos contestado muchas veces a su gran amor con nuestra desobediencia y terquedad, pero sin embargo más grande que todo es su amor por nosotros. Siempre el amor y la misericordia de Dios son más grandes que mis pecados. Por eso no puedo tener miedo de volver a Dios y pedir perdón, por muy grandes que hayan sido mis pecados, porque su misericordia y su amor siempre son mucho más grandes. En el mundo en el que todos los días aparecen nuevos "perfectos" juzgando a los demás y haciéndoles perder toda posibilidad de reencontrar el sentido de su vida, Dios nos está mostrando su misericordia. En el mundo en el que todos quieren estar al lado de los "perfectos", Dios decide estar a mi lado, que soy un pecador y no merezco tanto amor de su parte. Eso me ayuda mucho en mi proceso de toma de decisión, porque me quita el peso de que lo tengo que hacer perfecto porque si no, me espera el fuego eterno. Dios es amor y su amor es más grande que mi pecado.

La fe cristiana no es una fe intimista e individualista, sino que es una fe siempre personal y comunitaria. Mi fe no me aparta de los hermanos, sino que me une a ellos, me hace ser servidor de ellos. No estamos solos haciendo la vida. A la hora de tomar decisiones tengo que tener presente que estoy con otros hermanos capaces de iluminarme, de ayudarme a cargar el peso de la vida y, sobre todo, de bendecirme con sus acciones. La fe me lanza a la experiencia de la comunidad y eso es fundamental a la hora de tomar decisiones porque no me experimento apartado y solo, sino acompañado por los que creen, como yo, y luchan por seguir adelante. Tanto así que es en la comunidad donde está el Resucitado: "Porque donde hay dos o tres reunidos en mi nombre, yo estoy allí, en medio de ellos" (Mateo 18, 20).

Todo esto con la seguridad de que la fe no se puede quedar en una experiencia subjetiva, sino que se tiene que traducir en obras claras y concretas. Tomo decisiones para transformar el mundo en el que vivo. Como creyente, estoy comprometido a que mis decisiones sean transformadoras y que hagan que cada día estemos en espacios más justos y más solidarios.

Hermanos míos, ¿de qué aprovechará si alguno dice que tiene fe, y no tiene obras? ¿Podrá la fe salvarle? Y si un hermano o una hermana están desnudos, y tienen necesidad del mantenimiento de cada día, y alguno de vosotros les dice: "Id en paz, calentaos y saciaos", pero no les dais las cosas que son necesarias para el cuerpo, ¿de qué aprovecha? Así también la fe, si no tiene obras, es muerta en sí misma. Pero alguno dirá: "Tú tienes fe, y yo tengo obras. Muéstrame tu fe sin tus obras, y yo te mostraré mi fe por mis obras" (Santiago 2, 14-18).

Estoy convencido de que los seres humanos tenemos que lograr una comprensión más asertiva de las situaciones que vivimos, porque ellas generan emociones que muchas veces nos confunden y nos llevan a tomar decisiones que terminan frustrando con el pasar del tiempo, debido a que se experimenta la sensación de devolver el tiempo, cuando ya el daño está hecho, y todo esto porque no se supo interpretar lo que estaba sucediendo en ese momento preciso. Pongo un ejemplo, desde la propuesta de discernimiento de las emociones del psicólogo W. Muller. Puede que un hombre casado se enamore de otra mujer, porque en el encuentro con ella siente despertar en él algo que en el momento actual de su vida está pasando por un desierto. Lo que se manifiesta con el enamoramiento no pretende decir con ello necesariamente: "En este momento debes dejar a tu mujer y dedicarte a la persona de la que te has enamorado". De pronto, tomando el tiempo para discernir más la situación, sin dejarse llevar por altas emociones que ella suscita —porque ve a la otra mujer más bonita, inteligente, bien vestida, más culta y con un futuro interesante— podría llegar a la conclusión de que ese enamoramiento lo que desea es, más bien, despertar en él una añoranza que le motive y aliente a dar vida a algo que no tiene, pero que se mueve en su interior. A veces conocer a una persona interesante que se supone llena la expectativa sobre una pareja que siempre se deseó, puede suponer lanzarse a nuevas relaciones. Pero con bastante frecuencia puede significar también, sencillamente, vitalizar la relación existente. Tomar una buena decisión en los momentos de incertidumbre depende mucho de la forma como interpretas las emociones que se generan en tu interior. Me gusta la invitación de Pablo (1 Tes 5, 21): "Examínenlo todo y quédense con lo bueno". Considero que es muy importante tener una visión amplia de la realidad, antes de tomar una decisión, sobre todo de las emociones fuertes que a veces experimentamos, porque nos pueden llevar a optar por cosas que desilusionan con facilidad.

Son claves que desde mi experiencia de fe te propongo, es tu decisión aceptarlas o no, pero te aseguro que a mí me han ayudado a hacer las cosas lo mejor posible. Sé que todas estas claves tienen sentido desde el encuentro personal con Jesús, que tal vez es lo más importante que me ha pasado en mi vida, y por eso me atrevo a proponértelo en este momento. Lo importante es que nuestras decisiones sean tomadas pensando no solo en nosotros, sino en los demás, impulsados no solo por los deseos personales inmediatos, sino por unos valores trascendentes y espirituales, asumiendo cada una de las consecuencias que generan y que nos hacen sufrir y enfrentar momentos duros, pero que nos hacen crecer y salir adelante.

DIANA

España
Av. Diagonal, 662-664
08034 Barcelona (España)
Tel. (34) 93 492 80 00
Fax (34) 93 492 85 65
Mail: info@planetaint.com
www.planeta.es

Paseo Recoletos, 4, 3.ª planta
28001 Madrid (España)
Tel. (34) 91 423 03 00
Fax (34) 91 423 03 25
Mail: info@planetaint.com
www.planeta.es

Argentina
Av. Independencia, 1668
C1100 Buenos Aires
(Argentina)
Tel. (5411) 4124 91 00
Fax (5411) 4124 91 90
Mail: info@eplaneta.com.ar
www.editorialplaneta.com.ar

Brasil
Av. Francisco Matarazzo,
1500, 3.º andar, Conj. 32
Edificio New York
05001-100 São Paulo (Brasil)
Tel. (5511) 3087 88 88
Fax (5511) 3087 88 90
Mail: ventas@editoraplaneta.com.br
www.editoriaplaneta.com.br

Chile
Av. 11 de Septiembre, 2353, piso 16
Torre San Ramón, Providencia
Santiago (Chile)
Tel. Gerencia (562) 652 29 43
Fax (562) 652 29 12
www.planeta.cl

Colombia
Calle 73, 7-60, pisos 7 al 11
Bogotá, D.C. (Colombia)
Tel. (571) 607 99 97
Fax (571) 607 99 76
Mail: info@planeta.com.co
www.editorialplaneta.com.co

Ecuador
Whymper, N27-166,
y Francisco de Orellana
Quito (Ecuador)
Tel. (5932) 290 89 99
Fax (5932) 250 72 34
Mail: planeta@access.net.ec

México
Masaryk 111, piso 2.º
Colonia Chapultepec Morales
Delegación Miguel Hidalgo 11560
México, D.F. (México)
Tel. (52) 55 3000 62 00
Fax (52) 55 5002 91 54
Mail: info@planeta.com.mx
www.editorialplaneta.com.mx
www.planeta.com.mx

Perú
Av. Santa Cruz, 244
San Isidro, Lima (Perú)
Tel. (511) 440 98 98
Fax (511) 422 46 50
Mail: rrosales@eplaneta.com.pe

Portugal
Planeta Manuscrito
Rua do Loreto, 16-1.º Frte.
1200-242 Lisboa (Portugal)
Tel. (351) 21 370 43061
Fax (351) 21 370 43061

Uruguay
Cuareim, 1647
11100 Montevideo (Uruguay)
Tel. (5982) 901 40 26
Fax (5982) 902 25 50
Mail: info@planeta.com.uy
www.editorialplaneta.com.uy

Venezuela
Final Av. Libertador con calle Alameda,
Edificio Exa, piso 3.º, of. 301
El Rosal Chacao, Caracas (Venezuela)
Tel. (58212) 952 35 33
Fax (58212) 953 05 29
Mail: info@planeta.com.ve
www.editorialplaneta.com.ve

Grupo Planeta   Diana es un sello editorial del Grupo Planeta   www.planeta.es